CM
CYCLE 3

Sciences & technologie

Chercheurs en herbe

Programme 2016

Guide pédagogique
Extraits

Sous la direction de
Martine Sache
Inspectrice de l'Éducation nationale

Nadia Bounifi
Professeure de Sciences Physiques et Chimie (SPC)

Édith Doublet
Conseillère pédagogique de circonscription

Aurélie Ménard-Parrod
Professeure de Sciences de la Vie et de la Terre (SVT)

Martine Sache
Inspectrice de l'Éducation nationale

Rémi Tourret
Professeur de Sciences de la Vie et de la Terre (SVT), formateur ESPE

Philippe Touron
Professeur de Technologie

Bordas

Conformément aux directives du nouveau programme 2016, ce manuel applique les **rectifications orthographiques** proposées par le **Conseil supérieur de la langue française**, approuvées par l'**Académie française** et publiées par le **Journal officiel de la République française** le 6 décembre 1990.

Document du *J.O.* du 06/12/1990 :
http://academie-francaise.fr/sites/academiefrancaise.fr/files/rectifications.pdf

ISBN 313-3-09-702647-3

Sommaire de l'extrait du Guide pédagogique

Avant-propos 4
Organisation didactique 6
Repères de progressivité cycle 3 8

Thème 1 : Matière, mouvement, énergie et information

Extrait du manuel :
6. Une encre magique ou presque... 10
Extrait du guide pédagogique 12

Thème 2 : Le vivant, sa diversité et les fonctions qui le caractérisent

Extrait du manuel :
30. Des plantes qui poussent sans terre ! 18
Extrait du guide pédagogique 20
Extrait du manuel :
Projet 3 : Construisons un mur... végétal 26
Extrait du guide pédagogique 28

Thème 3 : Matériaux et objets techniques

Extrait du manuel :
47. Un aspirateur est-il un robot ? 32
Extrait du guide pédagogique 34

Thème 4 : La planète Terre, les êtres vivants dans leur environnement

Extrait du manuel :
50. Le jour se lève 24 heures sur 24 40
Extrait du guide pédagogique 42

Avant-propos

La technologie et toutes les disciplines scientifiques concourent à la **construction d'une première représentation globale, rationnelle et cohérente du monde** dans lequel l'élève vit. Le programme de « Sciences et Technologie » du cycle de consolidation (cycle 3), publié au *Bulletin officiel spécial n° 11 du 26 novembre 2015* y contribue en s'organisant autour de **quatre thèmes** qui conjuguent des questions majeures de la science et des enjeux sociétaux contemporains :

- Matière, mouvement, énergie et information ;
- Le vivant, sa diversité et les fonctions qui le caractérisent ;
- Matériaux et objets techniques ;
- La planète Terre, les êtres vivants dans leur environnement.

Les classes de CM1 et de CM2, premières années du cycle de consolidation, comprennent deux heures hebdomadaires pour la mise en œuvre de l'enseignement de « Sciences et Technologie », nouvelle matière articulée autour des compétences du Socle commun de Compétences, de Connaissances et de Culture.

Ce guide pédagogique a été rédigé dans le but d'aider les professeurs des écoles à utiliser le manuel *Chercheurs en herbe* CM destiné aux élèves des classes de CM1 et de CM2.

Présentation du manuel de l'élève

Un manuel CONFORME qui répond aux attentes des instructions officielles

Le manuel de l'élève propose :

- l'intégralité des **attendus de fin de cycle** pour permettre une évaluation de la maitrise des contenus ;
- des notions à acquérir choisies en fonction des **repères de progressivité** de CM/6e pour consolider les acquis de cycle 2 (logique curriculaire) et amorcer les apprentissages du cycle 3 en respectant la progressivité des apprentissages (logique spiralaire) ;
- dans chaque situation de recherche, un document SOCLE pour travailler spécifiquement une compétence du **socle commun de connaissances, de compétences et de culture** ;
- des « **Activités** » pour exploiter les documents qui laissent une **grande liberté pédagogique**.

Un manuel STRUCTURÉ et STRUCTURANT qui permet l'acquisition de connaissances et de compétences

Le manuel de l'élève propose :

- **un découpage en quatre thèmes** « Matière, mouvement, énergie et information ; Le vivant, sa diversité et les fonctions qui le caractérisent ; Matériaux et objets techniques ; La planète Terre, les êtres vivants dans leur environnement » pour faciliter le repérage dans les programmes d'enseignement ;
- **59 situations de recherche**, présentées en double page, à partir desquelles s'organisent des investigations pour répondre aux attendus de fin de cycle ;
- un découpage des situations de recherche selon les **trois temps forts** des **démarches scientifiques et technologiques** :
  - « **Je m'interroge** » : pour créer la situation de départ, déclencher le questionnement, faire le point sur ses connaissances, favoriser les échanges pour aboutir à une **question scientifique ou technologique**.
  - « **Je cherche / Je réalise** » : pour aider les élèves à résoudre la question posée, pour mobiliser leurs savoirs, leurs capacités et leurs attitudes scientifiques dans un cadre suffisamment ouvert afin d'exercer leur **autonomie d'organisation et de raisonnement**.
  - « **Je conclus** » : pour confronter les résultats, pour **structurer** les connaissances et travailler la formulation de ce qu'ils doivent retenir.

Un manuel MOTIVANT qui donne le gout des sciences et de la technologie

Le manuel de l'élève offre :

- des **situations de recherche** motivantes et stimulantes pour susciter la curiosité et l'engagement des élèves ;
- des **documents variés et de qualité** (photographies, graphiques, schémas, textes, logiciels...), proches du quotidien des élèves, pour construire de nouvelles connaissances et mener une investigation ;

- des **projets** pour permettre des **approches concrètes** à travers des **convergences disciplinaires** ;
- des **protocoles** simples, explicites et des listes de matériel pour expérimenter et manipuler le réel sans matériel spécifique ;
- des exemples d'utilisation des **outils numériques** pour favoriser leur usage dans les apprentissages scientifiques et technologiques.

Un manuel MÉTHODOLOGIQUE qui offre des méthodes et des outils pour apprendre

Le manuel de l'élève comprend :

- des pages **Bilan** pour chaque attendu de fin de cycle, avec un résumé rigoureux et un **Essentiel par l'image** pour **faire le point** sur les connaissances acquises, les **structurer** et **faciliter leur mémorisation** ;
- des **fiches méthodologiques** pour contribuer à l'acquisition de la compétence « Pratiquer une démarche scientifique et technologique » et aider les élèves dans leur mise en œuvre de procédures en donnant des indications sur la réussite du travail à accomplir ;
- une rubrique « **Vocabulaire** » dans les situations de recherche pour participer à l'acquisition des premières bases d'un langage scientifique et technologique.

Présentation du guide pédagogique

Le guide pédagogique fournit, pour chaque situation de recherche du livre de l'élève, des **informations scientifiques**, **didactiques** et **pédagogiques** regroupées dans les rubriques suivantes :

- **Les objectifs dans les programmes**
  L'enseignement scientifique et technologique vise l'acquisition de **savoirs** mais aussi le développement et la construction chez les élèves des **démarches** et des **méthodes**. Ce paragraphe explicite, pour chaque situation de recherche, l'attendu de fin de cycle, les connaissances, les compétences et des exemples de situations correspondants. Pour faciliter la progressivité des apprentissages, des **repères sur les acquis du cycle 2** et les **attendus de la classe de sixième** sont également précisés.

- **Les intentions pédagogiques de la situation de recherche**
  Cette rubrique reprend dans l'ordre les documents proposés dans le manuel de l'élève. Les principales **pistes d'exploitation pédagogique** sont envisagées et le **lien** avec les **compétences du socle commun** est clairement explicité. Le professeur garde toute sa **liberté pédagogique** pour réduire ou enrichir les contenus des documents, ajouter d'autres pistes de questionnements et organiser le travail de la classe à sa convenance (travail individuel, travail de groupe, séance collective). Cette rubrique peut contenir également les encarts suivants :
  - « **Quelques conseils** » pour aider l'enseignant à la mise en place des activités de manipulations réalisables en classe avec les élèves ;
  - « **Outils numériques** » pour donner des idées d'exploitation en utilisant les différents outils numériques accessibles aux écoles ;
  - « **Point didactique** » pour faciliter la mise en œuvre de l'enseignement scientifique et technologique ;
  - « **Pistes d'interdisciplinarité** » pour établir un lien avec les autres disciplines en s'appuyant sur la polyvalence du professeur des écoles.

- **Les notions essentielles pour l'enseignant**
  Les connaissances scientifiques et technologiques que doit maitriser l'enseignant pour aborder la situation de recherche y sont exprimées en termes simples. La partie « **Pour aller plus loin** » lui permet de poursuivre son acculturation scientifique et didactique.

- **Une évaluation photocopiable**
  Cette page permet de tester ou d'utiliser les connaissances et les compétences abordées dans la situation de recherche. Les critères de réussite sont clairement exprimés : ils permettent une explicitation des attentes auprès des élèves (dans le cadre d'une différenciation pédagogique) et favorisent leur autoévaluation.

Les auteurs

Organisation didactique du manuel

Des situations de recherche pour acquérir des connaissances et des compétences en trois étapes

Je m'interroge
Une situation de départ pour faire émerger les **représentations initiales** et les **acquis** de vos élèves.

L'introduction d'une **question scientifique**

Je cherche, je réalise
Des documents de qualité soigneusement sélectionnés pour construire une **notion-clé** du programme et les compétences du **socle commun**

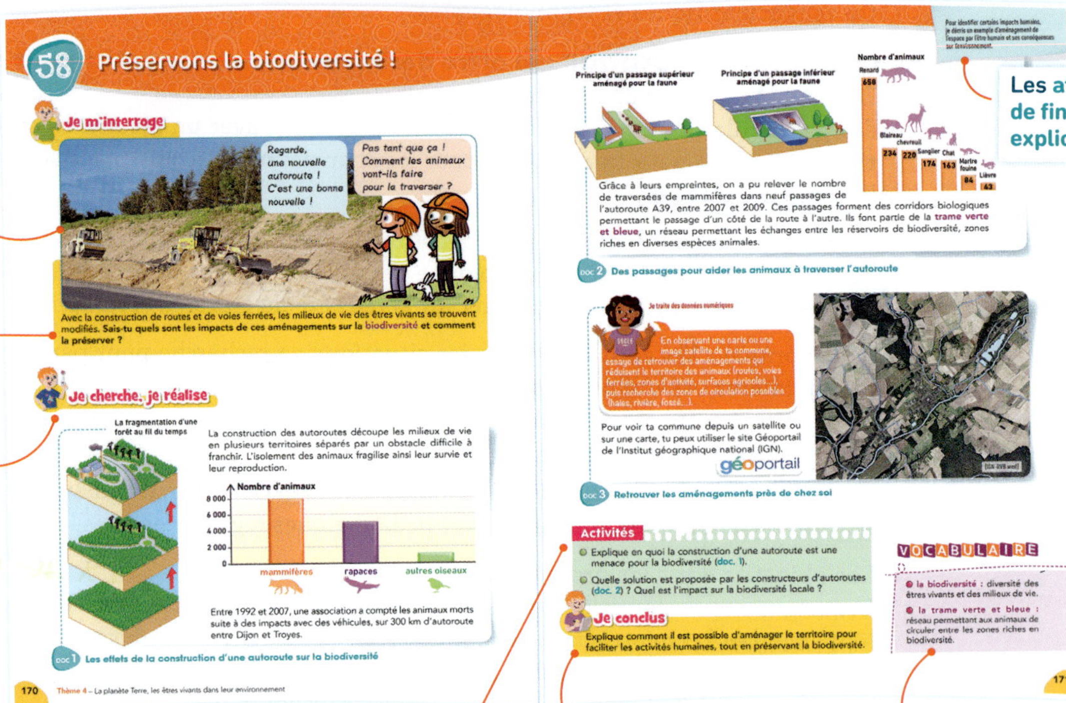
58 Préservons la biodiversité !

Je m'interroge

Avec la construction de routes et de voies ferrées, les milieux de vie des êtres vivants se trouvent modifiés. **Sais-tu quels sont les impacts de ces aménagements sur la biodiversité et comment la préserver ?**

Je cherche, je réalise

La fragmentation d'une forêt au fil du temps

La construction des autoroutes découpe les milieux de vie en plusieurs territoires séparés par un obstacle difficile à franchir. L'isolement des animaux fragilise ainsi leur survie et leur reproduction.

Entre 1992 et 2007, une association a compté les animaux morts suite à des impacts avec des véhicules, sur 300 km d'autoroute entre Dijon et Troyes.

doc 1 Les effets de la construction d'une autoroute sur la biodiversité

170 Thème 4 – La planète Terre, les êtres vivants dans leur environnement

Pour identifier certains impacts humains, je décris un exemple d'aménagement de l'espace par l'être humain et ses conséquences sur l'environnement.

Grâce à leurs empreintes, on a pu relever le nombre de traversées de mammifères dans neuf passages de l'autoroute A39, entre 2007 et 2009. Ces passages forment des corridors biologiques permettant le passage d'un côté de la route à l'autre. Ils font partie de la **trame verte et bleue**, un réseau permettant les échanges entre les réservoirs de biodiversité, zones riches en diverses espèces animales.

doc 2 Des passages pour aider les animaux à traverser l'autoroute

Je traite des données numériques

En observant une carte ou une image satellite de ta commune, essaye de retrouver des aménagements qui réduisent le territoire des animaux (routes, voies ferrées, zones d'activité, surfaces agricoles…), puis recherche des zones de circulation possibles (haies, rivière, fossé…).

Pour voir ta commune depuis un satellite ou sur une carte, tu peux utiliser le site Géoportail de l'Institut géographique national (IGN).

géoportail

doc 3 Retrouver les aménagements près de chez soi

Activités
- Explique en quoi la construction d'une autoroute est une menace pour la biodiversité (doc. 1).
- Quelle solution est proposée par les constructeurs d'autoroutes (doc. 2) ? Quel est l'impact sur la biodiversité locale ?

Je conclus
Explique comment il est possible d'aménager le territoire pour faciliter les activités humaines, tout en préservant la biodiversité.

VOCABULAIRE
- **la biodiversité** : diversité des êtres vivants et des milieux de vie.
- **la trame verte et bleue** : réseau permettant aux animaux de circuler entre les zones riches en biodiversité.

171

Les **attendus de fin de cycle explicites**

Des activités garantissant la **liberté pédagogique** et valorisant l'**autonomie**

Je conclus
Une **trace écrite** en lien avec la question scientifique

Vocabulaire
Les **mots-clés** du programme

Une structuration des connaissances pour chaque attendu de fin de cycle

Les **notions-clés** abordées dans les situations

Le **bilan structuré** des connaissances acquises dans chacune des situations

Les principales **compétences** travaillées et leur ancrage dans les ressources

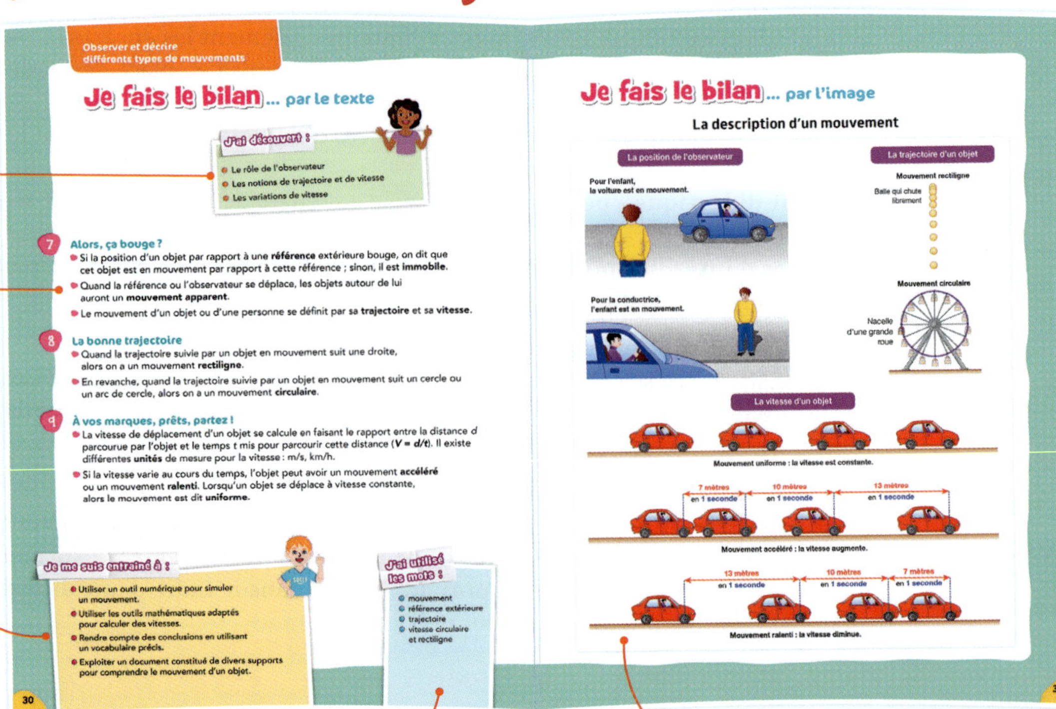
Observer et décrire différents types de mouvements

Je fais le bilan… par le texte

J'ai découvert :
- Le rôle de l'observateur
- Les notions de trajectoire et de vitesse
- Les variations de vitesse

7 Alors, ça bouge ?
- Si la position d'un objet par rapport à une **référence** extérieure bouge, on dit que cet objet est en mouvement par rapport à cette référence ; sinon, il est **immobile**.
- Quand la référence ou l'observateur se déplace, les objets autour de lui auront un **mouvement apparent**.
- Le mouvement d'un objet ou d'une personne se définit par sa **trajectoire** et sa **vitesse**.

8 La bonne trajectoire
- Quand la trajectoire suivie par un objet en mouvement suit une droite, alors on a un mouvement **rectiligne**.
- En revanche, quand la trajectoire suivie par un objet en mouvement suit un cercle ou un arc de cercle, alors on a un mouvement **circulaire**.

9 À vos marques, prêts, partez !
- La vitesse de déplacement d'un objet se calcule en faisant le rapport entre la distance d parcourue par l'objet et le temps t mis pour parcourir cette distance ($V = d/t$). Il existe différentes **unités** de mesure pour la vitesse : m/s, km/h.
- Si la vitesse varie au cours du temps, l'objet peut avoir un mouvement **accéléré** ou un mouvement **ralenti**. Lorsqu'un objet se déplace à vitesse constante, alors le mouvement est dit **uniforme**.

Je me suis entraîné à :
- Utiliser un outil numérique pour simuler un mouvement.
- Utiliser les outils mathématiques adaptés pour calculer des vitesses.
- Rendre compte des conclusions en utilisant un vocabulaire précis.
- Exploiter un document constitué de divers supports pour comprendre le mouvement d'un objet.

J'ai utilisé les mots :
- mouvement
- référence extérieure
- trajectoire
- vitesse circulaire et rectiligne

30

Je fais le bilan… par l'image

La description d'un mouvement

31

Le **vocabulaire scientifique et technologique** à maitriser et à utiliser

Un grand schéma pour permettre **une structuration des connaissances** et faciliter la **mémorisation**

Des projets pour travailler l'interdisciplinarité

Une **situation motivante** et faisant appel à différentes parties du programme

Des documents qui mobilisent et développent les **savoirs**, **savoir-faire** et **savoir-être** des élèves

Projet 3

Contruisons un mur… végétal !

Sur un blog, j'ai vu qu'il était facile de réaliser un mur végétal décoratif à partir de matériaux récupérés. Cela vous tente ?

Quels besoins ?

Avant de commencer, je me pose les bonnes questions !

- À quoi mes jardinières vont-elles servir ?
- Où va-t-on les mettre ?
- Comment rendre cet objet agréable visuellement ?
- Quelle doit être sa durée de vie ?

Quelles plantes ?

Basilic grand vert

Echeveria agavoides

Cyclamen origami

Après avoir déterminé l'emplacement du mur de jardinières, il faut choisir les plantes en faisant des recherches ou en demandant à un professionnel.

- Plante d'intérieur ou d'extérieur ?
- Quels types de fleurs, période et durée de la floraison ?
- Combien de fois cette plante doit-elle être arrosée ?
- Plante vivace ou annuelle ?
- Plante comestible ou non ?

Quels matériaux ?

Pour choisir les bons matériaux, il faut connaitre leurs propriétés et identifier ceux répondant le mieux à nos besoins :

- Résiste-t-il aux conditions extérieures (pluie, vent) ?
- Est-ce que je peux recycler des matériaux qui ont déjà servi ?
- Quel est le prix des matériaux à acheter ?

98 99

Des **consignes de travail claires et explicites** qui offrent un cadre suffisamment ouvert pour permettre aux élèves d'exercer leur autonomie d'organisation, de résolution et de raisonnement

Des **réalisations simples et amusantes** à faire avec du matériel facilement accessible

Des fiches méthodologiques pour pratiquer une démarche scientifique

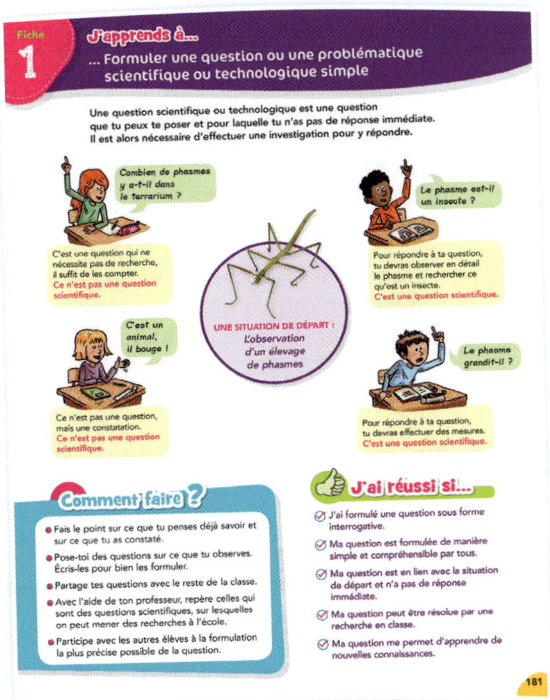
Fiche 1

J'apprends à…

… Formuler une question ou une problématique scientifique ou technologique simple

Une question scientifique ou technologique est une question que tu peux te poser et pour laquelle tu n'as pas de réponse immédiate. Il est alors nécessaire d'effectuer une investigation pour y répondre.

C'est une question qui ne nécessite pas de recherche, il suffit de les compter. Ce n'est pas une question scientifique.

Pour répondre à ta question, tu devras observer en détail le phasme et rechercher ce qu'est un insecte. C'est une question scientifique.

UNE SITUATION DE DÉPART : L'observation d'un élevage de phasmes

Ce n'est pas une question, mais une constatation. Ce n'est pas une question scientifique.

Pour répondre à ta question, tu devras effectuer des mesures. C'est une question scientifique.

Comment faire ?

- Fais le point sur ce que tu penses déjà savoir et sur ce que tu as constaté.
- Pose-toi des questions sur ce que tu observes. Écris-les pour bien les formuler.
- Partage tes questions avec le reste de la classe.
- Avec l'aide de ton professeur, repère celles qui sont des questions scientifiques, sur lesquelles on peut mener des recherches à l'école.
- Participe avec les autres élèves à la formulation la plus précise possible de la question.

J'ai réussi si…

- J'ai formulé une question sous forme interrogative.
- Ma question est formulée de manière simple et compréhensible par tous.
- Ma question est en lien avec la situation de départ et n'a pas de réponse immédiate.
- Ma question peut être résolue par une recherche en classe.
- Ma question me permet d'apprendre de nouvelles connaissances.

181

Des compétences choisies pour apprendre à mettre en œuvre **une démarche scientifique et technologique**

Une **mise en situation** concrète et attractive en lien avec la classe de CM

La rubrique « Comment faire ? » apporte des **conseils pratiques** pour aborder et travailler la compétence.

La rubrique « C'est gagné si… » regroupe les principaux **indicateurs de réussite**. Elle permet l'**évaluation** de la compétence, par l'élève ou par le professeur.

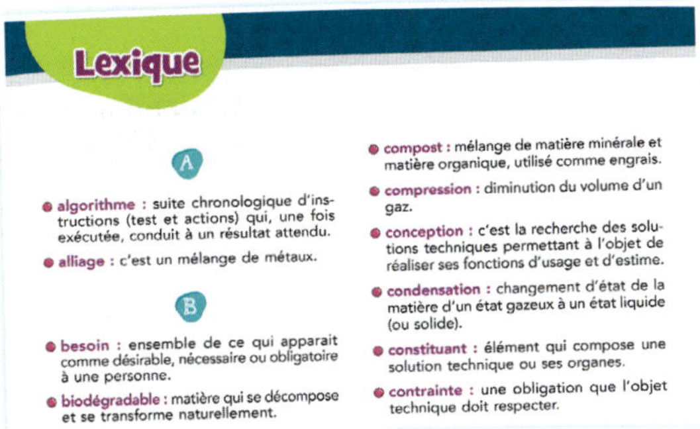
Lexique

A

- **algorithme** : suite chronologique d'instructions (test et actions) qui, une fois exécutée, conduit à un résultat attendu.
- **alliage** : c'est un mélange de métaux.

B

- **besoin** : ensemble de ce qui apparait comme désirable, nécessaire ou obligatoire à une personne.
- **biodégradable** : matière qui se décompose et se transforme naturellement.
- **compost** : mélange de matière minérale et matière organique, utilisé comme engrais.
- **compression** : diminution du volume d'un gaz.
- **conception** : c'est la recherche des solutions techniques permettant à l'objet de réaliser ses fonctions d'usage et d'estime.
- **condensation** : changement d'état de la matière d'un état gazeux à un état liquide (ou solide).
- **constituant** : élément qui compose une solution technique ou ses organes.
- **contrainte** : une obligation que l'objet technique doit respecter.

Un lexique pour acquérir les premières bases d'un langage scientifique et technologique

Repères de progressivité
Cycle 3

THÈME 1 | Matière, mouvement, énergie et information

<table>
<tr><th colspan="2">CM1</th><th colspan="2">CM2</th><th colspan="2">6e</th></tr>
<tr><td colspan="3">Décrire les états de la matière à l'échelle macroscopique.</td><td colspan="3">Caractériser et séparer des constituants de la matière.</td></tr>
<tr><td colspan="6">Observer et décrire les différents types de mouvements.</td></tr>
<tr><td colspan="3">Identifier les différentes sources d'énergie utilisées par l'Homme.</td><td colspan="3">Connaitre quelques conversions d'énergie.</td></tr>
<tr><td colspan="6">Identifier un signal, une information.</td></tr>
</table>

THÈME 2 | Le vivant, sa diversité et les fonctions qui le caractérisent

<table>
<tr><th colspan="2">CM1</th><th colspan="2">CM2</th><th colspan="2">6e</th></tr>
<tr><td colspan="6">Classer les organismes.</td></tr>
<tr><td colspan="3"></td><td colspan="3">Exploiter des liens de parenté pour comprendre et expliquer l'évolution des organismes.</td></tr>
<tr><td colspan="4"></td><td colspan="2">Observer une cellule, unité du monde vivant.</td></tr>
<tr><td colspan="4">Expliquer les besoins variables en aliments de l'être humain, décrire les fonctions de nutrition.</td><td colspan="2">Découvrir l'origine et les techniques mises en œuvre pour transformer et conserver les aliments.</td></tr>
<tr><td colspan="6">Décrire comment les êtres vivants se développent et deviennent aptes à se reproduire.</td></tr>
<tr><td colspan="6">Expliquer l'origine de la matière organique des êtres vivants et son devenir.</td></tr>
<tr><td colspan="4"></td><td colspan="2">Identifier le rôle des micro-organismes, des décomposeurs.</td></tr>
</table>

THÈME 3 | Matériaux et objets techniques

CM1	CM2	6e
Identifier les principales évolutions du besoin et des objets.	→	→
Décrire le fonctionnement d'objets techniques, leurs fonctions et leurs constitutions.	→	→
Identifier les principales familles de matériaux.	→	→
	Observer les impacts sur l'environnement.	→
Concevoir et produire tout ou partie d'un objet technique.	→	→
Repérer et comprendre la communication et la gestion de l'information, approcher les algorithmes.	→	
		Communiquer en réseau.

THÈME 4 | La planète Terre, les êtres vivants dans leur environnement

CM1	CM2	6e
Situer la Terre dans le système solaire, décrire les mouvements de la Terre.	→	→
Caractériser les composantes biologiques et géologiques d'un paysage.	→	Caractériser les conditions de vie terrestre.
Observer les effets de l'activité interne et externe de la Terre.	→	Expliquer les phénomènes.
Observer la répartition des êtres vivants et le peuplement des milieux.	→	Expliquer la répartition selon les conditions physicochimiques.
Identifier les enjeux liés à l'environnement.	→	→

Reproduction d'une double page du manuel
Chercheurs en herbe CM

6 Une encre magique ou presque...

Je m'interroge

L'encre bleue utilisée par Enzo est un mélange contenant différentes substances colorées.
Comment pourrais-tu expliquer que plusieurs couleurs apparaissent ?

Je cherche, je réalise

Le sel contenu dans l'eau de mer peut être récupéré dans un marais salant.

La grande surface et la faible profondeur favorise **l'évaporation** de l'eau de mer sous l'effet du soleil et du vent. Le sel contenu dans l'eau de mer finit par apparaitre et le saunier peut le ramasser.

DOC 1 Les marais salants

Pour décrire la matière à l'échelle macroscopique, j'expérimente la séparation des constituants d'un mélange.

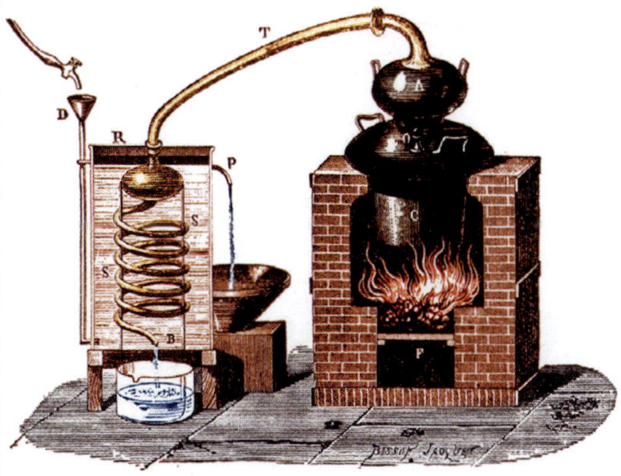

La **distillation** est une technique de séparation des constituants d'un mélange utilisée depuis le XVe siècle.

À la suite de l'**ébullition**, on installait un dispositif refroidissant les vapeurs et on pouvait ainsi récupérer tous les constituants d'un mélange homogène, notamment des huiles essentielles contenues dans les plantes pour se soigner.

DOC 2 Une expérience historique

Je garde une trace des expériences menées

Réalise une chromatographie des feutres de la classe et retrouve les couleurs qui constituent les différents feutres.

La **chromatographie** est une technique de séparation des constituants d'un mélange, notamment utilisée dans la recherche et l'industrie.

Protocole à suivre :

- Découpe un morceau de papier filtre de 7 cm sur 4 cm.
- Trace un trait à 1 cm du bas de la feuille et indique sur ce trait 4 repères pour mettre tes couleurs.
- Réalise un petit dépôt de couleurs à l'aide de 4 feutres (bleu, jaune, vert et rouge), comme sur l'image.
- Positionne ensuite ton papier filtre dans le pot en verre rempli d'un peu d'eau (pas plus d'1 cm).
- Observe.

DOC 3 Réaliser une chromatographie avec des feutres de couleur

Activités

- Décris le principe des marais salants (doc. 1).
- Identifie les changements d'états réalisés lors de la distillation (doc. 2).

Je conclus

Explique chaque principe des techniques de séparation des mélanges homogènes.

VOCABULAIRE

- **la distillation :** technique de séparation utilisant l'ébullition puis la condensation d'un liquide.
- **l'ébullition :** formation de bulles lors d'un changement violent d'une matière à l'état liquide vers l'état gazeux.
- **l'évaporation :** passage progressif de l'état liquide à l'état gazeux.

6 Une encre magique ou presque...

Les objectifs dans les programmes

Attendu de fin de cycle :
Décrire les états et la constitution de la matière à l'échelle macroscopique.

Connaissances et compétences associées	Exemples de situations, d'activités et de ressources pour l'élève
Mettre en œuvre des observations et des expériences pour caractériser un échantillon de matière. • L'état physique d'un échantillon de matière dépend de conditions externes, notamment de sa température. • Quelques propriétés de la matière solide ou liquide (par exemple : densité, solubilité, élasticité…). **Mettre en œuvre un protocole de séparation de constituants d'un mélange.** • La matière qui nous entoure (à l'état solide, liquide ou gazeux), résultat d'un mélange de différents constituants.	La distinction entre différents matériaux peut se faire à partir de leurs propriétés physiques (par exemple : densité, conductivité thermique ou électrique, magnétisme, solubilité dans l'eau, miscibilité avec l'eau…) ou de leurs caractéristiques (matériaux bruts, conditions de mise en forme, procédés…) Des activités de séparation de constituants peuvent être conduites : décantation, filtration, évaporation.

Repères de progressivité

Les acquis du cycle 2	Pour entrer en sixième
• Connaître les trois états physiques de l'eau. Savoir que d'autres matières changent d'état. • Mettre en évidence les caractéristiques de différents états physiques observés. Connaitre les trois états physiques de l'eau. • Observer les besoins vitaux des végétaux. **Les acquis des élèves du cycle 2 pour aborder cette situation de recherche :** *l'eau est une matière qui peut exister sous différents états physiques dans la nature.*	• Notion de saturation d'une solution. Un mélange peut conduire à une transformation chimique. • Mettre en œuvre des expériences de séparation ou de caractérisation engageant un matériel plus spécifique. Isoler des paramètres intervenant dans l'évaporation (température, surface libre,ventilation…).

Intentions pédagogiques de la situation de recherche

Je m'interroge

La situation proposée montre une enveloppe avec une écriture dont l'encre s'est partiellement dégradée, laissant apparaitre un étalement de couleurs. L'élève peut constater que les encres sont des mélanges. Cette situation permet de questionner les élèves sur ce qui a bien pu se passer et ainsi émettre des hypothèses. Après confrontation avec les résultats de l'expérimentation, on pourra conclure que l'on peut séparer les constituants d'un mélange.

Compétence du socle travaillée

Pratiquer des démarches scientifiques et technologiques
- Formuler une question ou une problématique scientifique ou technologique simple
- Proposer une ou des hypothèses pour répondre à une question ou un problème

Je cherche, je réalise

DOC 1 Les marais salants ➥ p. 20

Un document pour expliquer le principe de cristallisation du sel.

À partir de l'observation de la photographie et de la lecture du texte, les élèves doivent extraire les informations suivantes :
– du sel est dissout dans l'eau de mer ;
– pour récupérer le sel, le soleil et le vent favorisent l'évaporation de l'eau ;
– le sel se solidifie, les cristaux peuvent ainsi être ramassés par le saunier.

Compétence du socle travaillée

S'approprier des outils et des méthodes
- Extraire des informations pertinentes d'un document pour dégager les modalités de séparation des constituants d'un mélange.

DOC 2 Une expérience historique ➥ p. 21

Un document pour découvrir une méthode de séparation des constituants d'un mélange.

À partir de ce document, les élèves doivent extraire les informations suivantes :
– la distillation est une technique de séparation des constituants d'un mélange ;
– la distillation permet l'entrainement des vapeurs issues de l'ébullition. Un dispositif de refroidissement permet de les récupérer grâce à la condensation ;
– ce dispositif de refroidissant est une innovation, même si elle date du XVe siècle, car auparavant les vapeurs étaient perdues.

Compétence du socle travaillée

S'approprier des outils et des méthodes
- Extraire des informations pertinentes d'un document comprendre une nouvelle technique : la distillation.

DOC 3 Réaliser une chromatographie avec des feutres de couleur ➥ p. 21

Un document pour expliquer le principe de la chromatographie.

L'objectif de ce document est que les élèves réalisent une technique de séparation d'un mélange homogène afin de l'analyser. La plupart des feutres sont des mélanges, notamment le vert qui est une association de bleu et de jaune. Il se peut aussi que le bleu ne soit pas pur car du violet peut apparaitre.

Une fois la chromatographie réalisée, les élèvent observent et concluent sur les mélanges et les constituants qui constituent la couleur des feutres.

Compétence du socle travaillée

Pratiquer des démarches scientifiques et technologiques
- Garder une trace des expériences menées.
- Suivre une démarche expérimentale pour identifier les constituants d'un mélange homogène.
- Interpréter un résultat et en tirer une conclusion.

Quelques conseils pour réussir sa chromatographie

Pour la chromatographie, il est important de réaliser un test préalable avec différents feutres pour s'assurer qu'il y a bien un mélange pour le bleu ou le vert par exemple. De plus, il arrive, pour certains feutres, que l'eau ne soit pas un bon solvant pour réaliser une chromatographie, si c'est le cas : changez de feutres tout simplement.

Veillez également à ne pas faire des dépôts de couleurs trop importants et que ces derniers ne baignent dans l'eau dès le début.
Et enfin, pour réaliser une belle chromatographie, il faut savoir être patient et ne pas faire bouger l'ensemble du système une fois le papier filtre en contact avec le liquide.

Activités

- **L'activité 1** permet de reprendre le vocabulaire des états de la matière ainsi que les changements d'état.

L'eau est à l'état liquide puis passe à l'état gazeux ; c'est une évaporation.
Le sel est dissout puis passe à l'état solide ; c'est une solidification.
Réponse attendue : L'eau de mer est un mélange d'eau et de sel ; le sel est dissout dans l'eau. Le rayonnement solaire et le vent favorisent l'évaporation de l'eau mais le sel reste. Une fois l'eau évaporée et le sel solidifié, le saunier peut récupérer le sel.

- **L'activité 2** permet un réinvestissement du vocabulaire des états de la matière ainsi que les changements d'état.

Les vapeurs sont formées par ébullition du mélange (vaporisation). Les vapeurs passent de l'état gazeux à l'état liquide ; c'est une condensation ou liquéfaction.
Un prolongement est possible en indiquant les utilisations actuelles de cette techniques (extractions d'huiles essentielles, parfums, alcools…)
Réponse attendue :

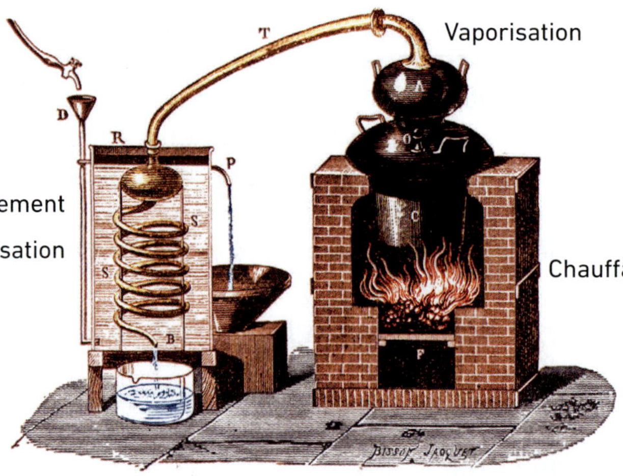

Je conclus !

À partir des informations et des interprétations d'expériences, les élèves doivent pouvoir proposer ces différentes techniques de séparation d'un mélange homogène et en expliquer les principes :
– l'**évaporation** : séparation des constituants d'un mélange par l'évaporation d'un des constituants ;
– la **distillation** : évaporation et condensation, successives permettant d'isoler un ou des constituants ;
– la **chromatographie** : utilisation d'un solvant (liquide) pour entrainer plus ou moins loin les constituants d'un mélange.

Des pistes d'interdisciplinarité

Histoire-Géographie : Mener une recherche sur la distillation et ses applications au cours du temps.

Les notions essentielles pour l'enseignant

Idées essentielles

- Un mélange est formé de plusieurs constituants pouvant être solides, liquides ou gazeux. Chaque constituant possède ses propres propriétés physiques et chimiques.
- Lorsque les constituants ne sont pas visibles à l'œil nu (ex : l'air, le lait, l'encre…), on dit que les mélanges sont homogènes.
- Pour pouvoir séparer et analyser les constituants des mélanges homogènes, on s'appuie sur les propriétés de chaque constituant.

Pour aller plus loin

- **L'évaporation :** ce procédé repose sur l'évaporation du liquide afin de séparer les solides dissous ou non dans le mélange.
- **La distillation :** ce procédé permet de séparer les constituants d'un mélange homogène grâce à l'ébullition puis la condensation d'un liquide.

  La distillation permet de séparer un mélange homogène de liquides dont les températures d'ébullition sont différentes. Plus les températures d'ébullition sont différentes plus la séparation sera facilitée.

  Le constituant le plus volatile (qui a la température d'ébullition la plus faible) se vaporise en premier, monte le long de la colonne à distiller. Les vapeurs sont ensuite refroidies puis condensées grâce au réfrigérant placé en sortie de colonne sur le côté. Ce refroidissement est possible à l'aide de la circulation en permanence d'eau fraîche autour des vapeurs grâce à une double paroi.

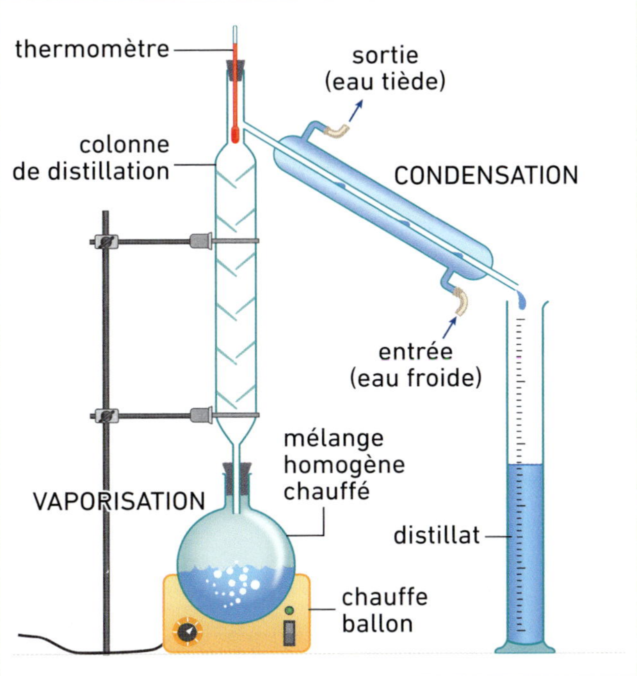

- **La chromatographie :** la vitesse de propagation des constituants d'un mélange dans une substance (ou solvant) est différente, ce qui permet de les séparer.

  La chromatographie est une technique de séparation des substances qui peuvent être à l'état solide, liquide ou gazeux. Cette technique repose sur des différences de comportement des substances que l'on souhaite séparer selon qu'elles se trouvent dans une phase mobile (ici l'eau liquide) ou dans une phase stationnaire (ici le papier filtre).

La phase mobile permet de réaliser des adsorptions (les molécules quittent le liquide pour se fixer à la surface du papier) et des désorptions (les molécules quittent la surface du papier pour retourner au liquide) successives sur la phase stationnaire, grâce une solubilité différente de chaque constituants du mélange.

Les composants du mélange vont donc être entrainés à différentes vitesses, car selon leurs propriétés physiques et chimiques, certains seront plus solubles que d'autres. Par conséquent, les taches de couleurs les plus hautes sont celles qui ont eu la vitesse la plus élevée.

Exemple de chromatogramme :

Premier dépôt bleu :
Deux tâches → deux constituants → un mélange de bleu et de violet.

Second dépôt jaune :
Une seule tâche → un seul constituant → un corps pur pour le jaune.

Troisième dépôt vert :
Deux tâches → deux constituants → un mélange constitué de jaune et de bleu (il reste un peu de bleu alors on a encore l'impression que c'est du vert en dessous).

Quatrième dépôt marron :
Une tâche → un seul constituant → Un corps pur pour le rouge.

Nom : .... Classe : .... Date : ....

6 ÉVALUATION
Une encre magique ou presque…

1 Qu'est-ce que je vais récupérer ?

Coche la bonne case.

Matéo réalise un mélange d'eau et de sucre dans un pot, puis il laisse ce mélange s'évaporer à l'air libre. Matéo va récupérer dans son pot :

☐ du sel ☐ du sucre ☐ de l'eau ☐ de l'eau sucrée

Émilie réalise la distillation d'un jus d'orange. Elle refroidit les vapeurs pour les récupérer dans un pot. Émilie va récupérer dans son pot :

☐ de la pulpe ☐ du jus d'orange ☐ de l'eau ☐ du sucre

Connaissances : expliquer la séparation des mélanges : la distillation est une technique de séparation des mélanges.

2 Schéma à compléter

Nicolas a réalisé une chromatographie de ses feutres, il a noté ses résultats, mais il a perdu son papier filtre avec les jolies couleurs.

Aide-le à redessiner ses résultats sur le schéma en t'aidant de ce qu'il a noté.
Complète également les pointillés.

J'ai réalisé une chromatographie de quatre feutres de couleurs. Voici mes résultats :

Premier dépôt rouge :
Une seule tache rouge → un seul constituant → le rouge est donc un ....

Deuxième dépôt violet :
Deux taches, une rouge et une bleu → C'est le même rouge que le premier dépôt car la tache est montée à la même hauteur. → le violet est donc un ....

Troisième dépôt jaune :
Une seule tache jaune → un seul constituant → le jaune est donc un ....

Quatrième dépôt marron :
Trois taches : rouge, jaune et bleue → .... constituants.
Le marron est donc un ....

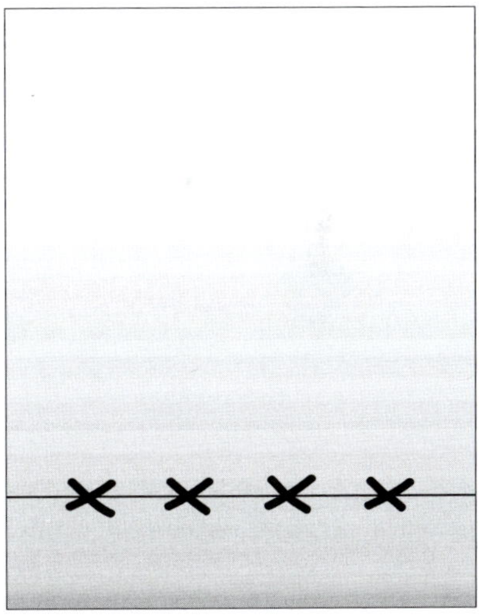

Connaissances : expliquer la séparation des mélang es : la distillation est une technique de séparation des mélanges.
Compétences : pratiquer des démarches scientifiques et technologiques : interpréter un résultat, en tirer une conclusion.

Critères de réussite

1 J'ai réussi si :
☐ J'ai compris si j'ai identifié les éléments du mélange et comment ils sont séparés.

2 J'ai réussi si :
☐ J'ai indiqué le bon nombre de taches de couleurs.
☐ J'ai utilisé le bon vocabulaire pour compléter les pointillés.

Reproduction d'une double page du manuel Chercheurs en herbe CM

30 Des plantes qui poussent sans terre !

Je m'interroge

Enzo et Clara ne sont pas d'accord ! **Et toi, sais-tu si les plantes ont vraiment besoin de terre pour se développer ?**

Je cherche, je réalise

La plupart des végétaux poussent naturellement dans la **terre**. Pourtant, dans les serres, on cultive de nombreuses plantes « hors sol ». Les racines trempent parfois directement dans de l'**eau minéralisée**, contenant des **éléments minéraux**, qui peut circuler dans des tubes. C'est le cas de la culture de salade présentée ci-contre.

DOC 1 Des salades qui poussent sans terre

Pour expliquer l'origine de la matière organique des êtres vivants et son devenir, j'identifie les besoins vitaux des plantes vertes.

Les éléments minéraux sont **dissous** dans l'eau. Selon l'eau minéralisée, la quantité d'**éléments minéraux** peut changer ! Par exemple, certaines eaux ont un gout salé car elles contiennent beaucoup de sodium. Et le sodium est un des éléments du sel de cuisine !

DOC 2 La composition de l'eau minéralisée (en milligramme par litre)

Je propose une expérience simple pour tester une hypothèse

En t'aidant du montage ci-contre, mets en place des expériences dans ta classe pour connaitre les besoins des plantes pour vivre.

DOC 3 Mener une recherche expérimentale

Matériel
- des plantules de lentilles
- de l'eau minéralisée
- de l'eau déminéralisée
- du coton
- de la terre
- de la vermiculite

Activités

- Quand les plantes sont cultivées hors de la terre, que doit-on leur apporter pour qu'elles se développent (doc. 1 et 2) ?
- À partir de l'interprétation des résultats de l'expérience du doc. 3, fais la liste des éléments indispensables à la plante.

Je conclus

Explique à Enzo comment la jacinthe de Clara peut se développer sans terre.

VOCABULAIRE

- **l'eau minéralisée :** eau contenant des minéraux dissous (sodium, calcium). L'eau déminéralisée n'en contient plus.
- **les éléments minéraux :** éléments provenant des roches et de l'activité des êtres vivants du sol, indispensables au bon fonctionnement de l'organisme.

30 Des plantes qui poussent sans terre !

Les objectifs dans les programmes

Attendu de fin de cycle : Expliquer l'origine de la matière et son devenir

Connaissances et compétences associées	Exemples de situations, d'activités et de ressources pour l'élève
• Relier les besoins des plantes vertes et leur place particulière dans les réseaux trophiques • Besoins des plantes vertes	Les études portent sur des cultures et des élevages ainsi que des expérimentations et des recherches et observations sur le terrain

Repères de progressivité

Les acquis du cycle 2	Pour entrer en sixième
• Identifier ce qui est animal, végétal, minéral ou élaboré par des êtres vivants. • Observer le développement d'animaux et de végétaux. • Observer les besoins vitaux des végétaux. **Les acquis des élèves du Cycle 2 pour aborder cette situation problème sont :** *Les plantes ont besoin d'eau pour grandir.*	• Construction des premières notions d'écologie à partir de la construction et la compréhension de réseaux trophiques. • Notion d'écosystème.

Intentions pédagogiques de la situation de recherche

Je m'interroge

La situation opposant les représentations de deux enfants sur les besoins d'une plante permet de questionner les élèves sur les besoins d'une plante et notamment le besoin en terre. Si le besoin en eau mais également en lumière est souvent acquis en arrivant au cycle 3, la nécessité de se nourrir de terre reste une représentation erronée fréquemment rencontrée chez les élèves.

Après confrontation des représentations avec des résultats d'expérimentations, on pourra conclure que les plantes n'ont pas besoin de terre pour grandir et se développer ; elles ont seulement besoin des éléments minéraux qui s'y trouvent.

Compétence du socle travaillée

Pratiquer des démarches scientifiques et technologiques
- Formuler une question ou une problématique scientifique ou technologique simple
- Proposer une ou des hypothèses pour répondre à une question ou un problème

Je cherche, je réalise

DOC 1 Des salades qui poussent sans terre ! ➥ p. 88

Un document pour mettre en évidence la croissance d'une plante sans terre

À partir de l'observation de la photographie et de la lecture du texte, les élèves doivent extraire les informations suivantes :
– les racines des plantes trempent dans l'eau minéralisée ;
– il est possible de faire des cultures de plantes sans que celles-ci soient dans la terre ;
– il faut apporter de l'eau minéralisée aux plantes pour qu'elles poussent.

Ce document peut être complété ou remplacé par des vidéos ou une visite montrant des exploitations maraichères hors-sol (culture hydroponique).

Compétence du socle travaillée

S'approprier des outils et des méthodes
- Extraire des informations pertinentes d'un document pour dégager les besoins d'une plante

DOC 2 La composition de l'eau minéralisée ➥ p. 89

Un document pour expliquer le terme d'élément minéral

La notion d'élément minéral est délicate à expliquer, car ces éléments minéraux ne sont pas visibles pour les élèves. Travailler sur la composition d'une eau minéralisée permet de montrer que l'eau minérale que l'on boit contient des minéraux dissous (c'est pour cela que l'on ne les voit pas à l'œil nu). Les éléments minéraux présents dans l'eau sont inscrits sur les étiquettes des bouteilles. (Attention à choisir des étiquettes indiquant clairement la composition minérale et le nom des éléments minéraux plutôt que leurs formules chimiques.)

À partir du document, les élèves doivent :
– regarder la composition de l'eau et constater qu'il y a d'autres éléments que de l'eau.

L'objectif ici n'est pas de connaitre les éléments minéraux présents dans l'eau, mais de savoir qu'il y en a, en se rattachant à des éléments comme le calcium, souvent connu chez les élèves.

Pour compléter ce document, on pourra également proposer de gouter différentes eaux pour comparer leur saveur (plus salé, plus amer…) qui est liée à leur composition minérale.

Compétence du socle travaillée

Pratiquer des langages
- Exploiter un document contenant un tableau pour mettre en évidence la composition d'une eau minérale.

DOC 3 Mener une recherche expérimentale ➥ p. 89

Une recherche expérimentale pour déterminer les besoins de la plante

Matériel
- ✓ graines
- ✓ vermiculite
- ✓ un pot de yaourt

L'objectif de ce document est de favoriser la mise en place d'une expérience simple en comparant le développement de plantule en présence ou en l'absence d'éléments minéraux. L'exemple proposé permet de montrer l'importance des éléments minéraux dans la croissance de la plante.

À partir des éléments disponibles dans la liste du matériel, voici les expériences que l'on peut mettre en place, ainsi que les résultats attendus.

Expérience 1	Plantule avec terre + eau	Les deux plantes devraient se développer normalement. L'eau déminéralisée va s'enrichir en minéraux en circulant dans la terre. S'il y a une petite différence, cela ne sera pas toujours très visible.
	Plantule avec terre + eau déminéralisée	
Expérience 2	Plante avec terre + eau	Les deux plantes vont se développer normalement. (Il faut assez de coton pour que la plante se fixe et que les racines puissent prélever suffisamment d'eau).
	Plante avec vermiculite + eau	
Expérience 3 (celle du doc. 3)	Plante avec vermiculite + eau	La plante qui a de l'eau déminéralisée va moins bien se développer.
	Plante avec vermiculite + eau déminéralisée	
Expérience 4	Plante avec terre + eau déminéralisée	La plante avec de l'eau déminéralisée et de la terre va bien mieux se développer que celle poussant sur du coton. Les éléments minéraux contenus dans la terre vont se dissoudre dans l'eau et la minéraliser.
	Plante avec vermiculite + eau déminéralisée	

Il faut partir de graines germées sur un support inerte comme la vermiculite (cela fonctionne mieux que le coton). L'eau déminéralisée est disponible à faible cout dans tous les supermarchés (eau pour les fers à repasser par exemple), et la vermiculite dans les jardineries.

Quelques conseils

– Les graines de cerfeuil, basilic ou persil sont longues à germer (3 à 4 semaines). Mieux vaut les planter directement en terre car il est difficile de les repiquer.
– Les plantules de haricots, de pois, de lentilles résistent assez bien quand on les transfère d'un support inerte à la terre.
– Le blé et l'herbe à chat germent en quelques jours. La croissance est rapide.

Outils numériques

Tablette, appareil photo pour suivre la croissance des plantes.

Compétence du socle travaillée

Pratiquer des démarches scientifiques
- Suivre une démarche expérimentale pour identifier le besoin en éléments minéraux
- Interpréter un résultat, en tirer une conclusion

Activités

- **L'activité 1** permet de faciliter l'extraction de l'information importante pour la question de départ : les plantes se développent sans terre quand on leur apporte des éléments minéraux.
- **L'activité 2** propose de faire un bilan des résultats expérimentaux pour conclure sur les besoins de la plante en eau minéralisée. Des expériences ou rappels photos ou vidéos permettront d'y associer les besoins en eau et en lumière vu en cycle 2.

Je conclus !

À partir des informations et des interprétations d'expériences, les élèves doivent pouvoir proposer ces différentes formulations :
– les plantes ont besoin d'eau et de sels minéraux ;
– la plante se nourrit de sels minéraux et d'eau ;
– pour vivre les plantes puisent de l'eau et des éléments minéraux avec leurs racines.

Des pistes d'interdisciplinarité

Français : produire un texte argumenté pour interpréter des expériences en utilisant les termes donc, plus que, moins que.

Les notions essentielles pour l'enseignant

Idées essentielles

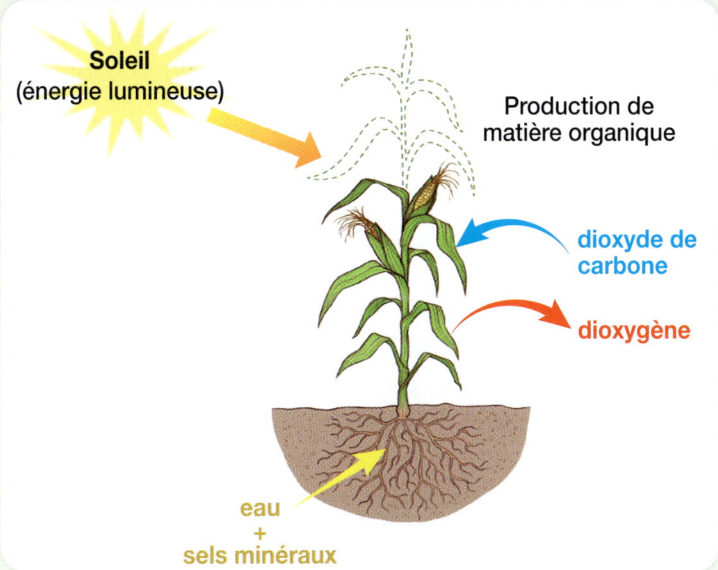

- Les végétaux chlorophylliens n'ont besoin pour se nourrir que de matière minérale (eau, éléments minéraux et dioxyde de carbone), à condition de recevoir de la lumière. L'eau et les éléments minéraux qu'elle contient sont puisés par les racines.
- Le dioxyde de carbone et la lumière sont captés par les parties vertes (feuilles ou tige).

Pour aller plus loin

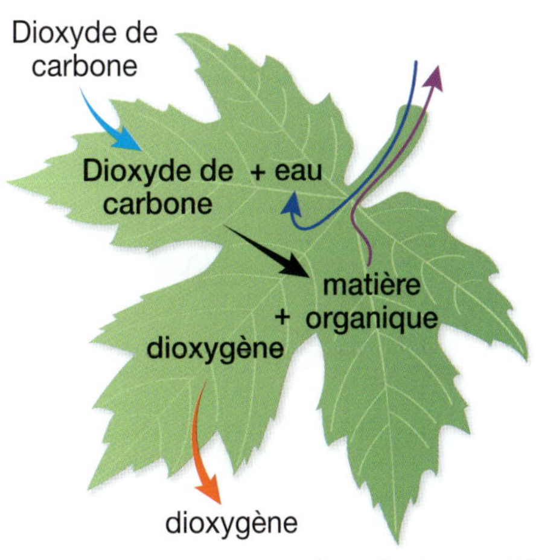

La photosynthèse

- La réaction chimique à l'origine de la production de matière organique par les végétaux chlorophylliens (qui contiennent des pigments comme la chlorophylle) est la **photosynthèse**. Le déchet de cette réaction chimique, rejeté dans l'air, est le dioxygène que nous respirons.
- Les végétaux chlorophylliens sont **autotrophes** car ils n'ont pas besoin de se nourrir de matière organique déjà fabriquée (comme les animaux, par exemple) ; ils puisent le carbone dont ils ont besoin dans le dioxyde de carbone de l'air. Étant à l'origine de la production de matière organique, ils sont appelés des **producteurs primaires**.

- On peut mettre en évidence facilement la richesse en carbone de la matière organique quand on laisse bruler de la viande ou des légumes ; le noir qui apparait vient du carbone !

- La matière organique produite dans les feuilles va circuler dans toute la plante en passant par les **vaisseaux conducteurs** (ce sont les nervures que l'on voit bien dans les feuilles).

- Il existe deux types de vaisseaux :
  – Les vaisseaux qui conduisent la **sève brute** (eau + éléments minéraux) des racines jusqu'aux feuilles. On peut les mettre en évidence en mettant une fleur ou un morceau de cèleri branche dans un verre d'eau colorée. Au bout de quelques jours, si on coupe la tige on peut observer des tubes qui ont pris la couleur du liquide.
  – Les vaisseaux qui transportent la **sève élaborée** : c'est la sève qui est fabriquée dans les parties chlorophylliennes (vertes) de la plante et qui contient de l'eau qui provient de la sève brute et de la matière organique sous forme de sucre qui va ensuite être redistribuée à toute la plante ou être mise en réserve.

- Cette matière organique est utilisée pour produire les feuilles, les tiges, les fleurs, les racines… ou être mise en réserve dans des organes comme les **tubercules** (pomme de terre, betterave) ou les **bulbes** (oignons, ails). Le constituant de cette matière organique de réserve est le sucre ; il peut être simple quand il s'agit de fructose (dans les fruits par exemple) ou de saccharose (dans la canne à sucre ou la betterave sucrière). Cela peut également être un sucre complexe comme l'amidon que l'on retrouve dans les pommes de terre ou les ignames.

Attention ! Les plantes respirent également ! Elles ont besoin du dioxygène de l'air pour permettre la respiration, réaction chimique permettant de fournir l'énergie à toutes les cellules de l'organisme.

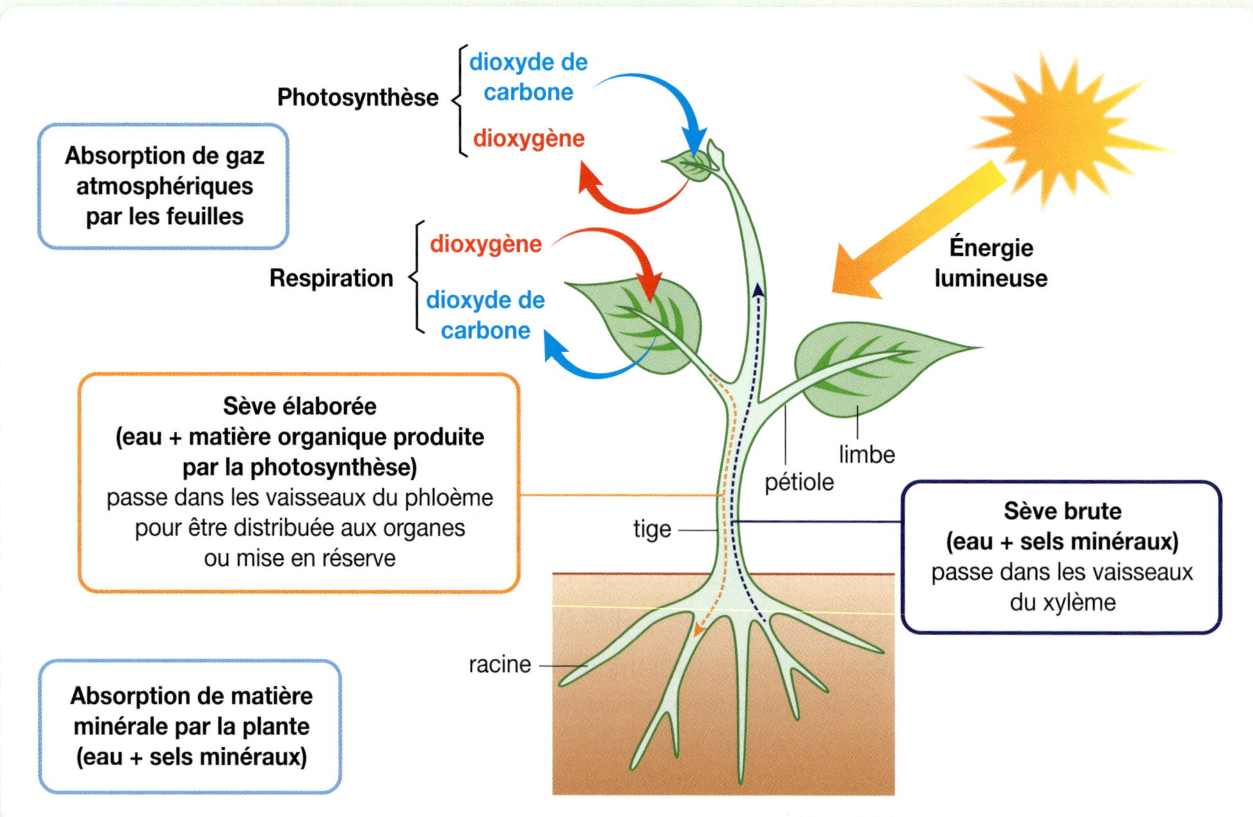

Nom : .... Classe : .... Date : ....

30 ÉVALUATION

Des plantes qui poussent sans terre !

1 Schéma à compléter

Légende les parties de la plante : racine, feuille, tige.
Complète le schéma ci-dessous en indiquant les éléments que la plante puise avec ses racines.

Connaissances : **expliquer l'origine de la matière organique des êtres vivants :** les plantes ont besoin d'eau et d'éléments minéraux.

Compétences : **pratiquer des langages :** compléter un schéma en utilisant des représentations adaptées.

2 Vrai ou faux ?

Coche la bonne case.

	V	F
– La terre est indispensable à la vie de la plante.	☐	☐
– La terre contient des éléments minéraux qui vont se mélanger à l'eau.	☐	☐
– L'eau déminéralisée est nécessaire à la croissance de la plante.	☐	☐

Connaissances : **expliquer l'origine de la matière organique des êtres vivants :** les plantes ont besoin d'eau et d'éléments minéraux.

Critères de réussite

1 J'ai réussi si :
- ☐ J'ai indiqué l'eau et les éléments minéraux.
- ☐ J'ai indiqué les parties de la plante (racine, feuille, tige).
- ☐ J'ai utilisé des flèches pour montrer le trajet des éléments minéraux et de l'eau.

2 J'ai réussi si :
- ☐ J'ai compris que la terre n'est pas indispensable mais qu'elle contient des éléments minéraux nécessaires à la plante.

Projet 3

Contruisons un mur… végétal !

Quels besoins ?

Avant de commencer, je me pose les bonnes questions !

- **À quoi mes jardinières vont-elles servir ?**
- **Où va-t-on les mettre ?**
- **Comment rendre cet objet agréable visuellement ?**
- **Quelle doit être sa durée de vie ?**

Quelles plantes ?

Après avoir déterminé l'emplacement du mur de jardinières, il faut choisir les plantes en faisant des recherches ou en demandant à un professionnel.

- **Plante d'intérieur ou d'extérieur ?**
- **Quels types de fleurs, période et durée de la floraison ?**
- **Combien de fois cette plante doit-elle être arrosée ?**
- **Plante vivace ou annuelle ?**
- **Plante comestible ou non ?**

Quels matériaux ?

Pour choisir les bons matériaux, il faut connaitre leurs propriétés et identifier ceux répondant le mieux à nos besoins :

- **Résiste-t-il aux conditions extérieures (pluie, vent) ?**
- **Est-ce que je peux recycler des matériaux qui ont déjà servi ?**
- **Quel est le prix des matériaux à acheter ?**

PROJET N° 3

Construisons un mur... végétal !

Ce projet peut être adapté pour la mise en œuvre d'un jardin pédagogique ou d'une jardinière dans la cour ou dans la classe. Au début de la mise en place du projet, il va falloir aborder la notion de besoin : pourquoi met-on en place ce mur végétal, dans quels buts ?

1. Quels besoins ?

Avant la séance : Le professeur devra établir les possibilités de mise en place ainsi que les objectifs qu'il se fixe.

La mise en place proposée ici peut se faire sur un trimestre, mais ce type de projet peut facilement tenir sur l'année en fonction des objectifs définis précédemment.

Voici des exemples des questions auxquelles il faudra répondre pour aborder la notion de besoin (les questionnements proposés se sont pas exhaustifs).

À quoi cela va-t-il servir ?

– Aspect esthétique (choix des plantes : à fleurs, à feuillages colorés ou non…) ?
– Support de travail pour l'étude du développement des plantes (croissance, besoin) ?
– Support de travail pour étudier la biodiversité (pollinisateurs, espèces végétales, interactions plantes…) ?

Où va-t-on le mettre ?

– Intérieur ou extérieur ?
– Espace disponible (mur végétal de quelques cm^2 à un ou deux m^2…) ?
– Exposition (ombre, soleil, température de la région…)

Quelle doit être sa durée de vie ?

En fonction de la durée du projet, les plantes choisies seront différentes :
– sur plusieurs années, il faudra choisir des plantes vivaces ;
– sur plusieurs mois, les plantes annuelles permettront de travailler les cycles de développement des plantes ;
– sur quelques semaines, il faudra utiliser des plantes à croissances rapides (graminées…).

Le plus simple en fonction de la région est de prendre contact avec une jardinerie ou un professionnel qui pourra fournir une liste de plantes adaptées. Cela peut aussi être l'objet d'une investigation avec les élèves.

2. Quelles plantes ?

Dans un deuxième temps il va falloir choisir et sélectionner les plantes les plus adaptées pour le projet choisi. Cette investigation conduite avec les élèves peut permettre d'aborder :
– les cycles de vie – les besoins des plantes – la germination – les réseaux trophiques.

- On pourra envisager les recherches par la lecture de sachets de graines, d'étiquettes sur les plants, de livres ou de sites internet de jardinage. Cela peut également être l'occasion de faire venir des professionnels (jardiniers, pépiniéristes, paysagistes...) ou de partir à leur rencontre.
- Les plantes présentées dans le manuel illustrent les différentes possibilités :
  – plantes vivaces / plantes annuelles : cycle de vie de la graine à la fleur sur une année ; ensuite la plante meurt et doit être replantée (avec les graines qu'elles ont produites) ;
  – comestibles/non comestibles ;
  – plantes d'intérieur et d'extérieur ;
  – plantes qui ont besoin d'eau/qui résistent au manque d'eau...

3. Quels matériaux ?

- Le choix du support pour ce mur végétal pourra être imposé mais également faire l'objet de recherche de différents matériaux permettant la mise en place du mur.
  – Quels sont les différents types de matériaux ?
  – Quel est l'impact des matériaux sur l'environnement ?
  – Quelle est leur durée de vie ?
  – Développement durable : recyclage / récupération / matériaux plastiques / bois...

4. Des idées de support

Exemple avec des bouteilles vides, pour plantes aromatiques

Extérieur ou intérieur

L'accumulation est facile ; la mise en place aussi.

Matériel nécessaire

– des bouteilles en plastique (d'un litre minimum),
– un cutter avec sécurité,
– de la grosse ficelle.

Réalisation

- Découper les bouteilles avec le cutter.

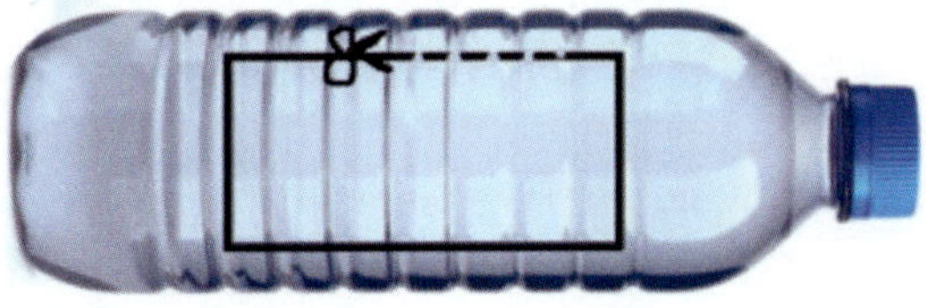

- Marquer l'emplacement des trous et percer de part en part avec la pointe d'un tournevis.

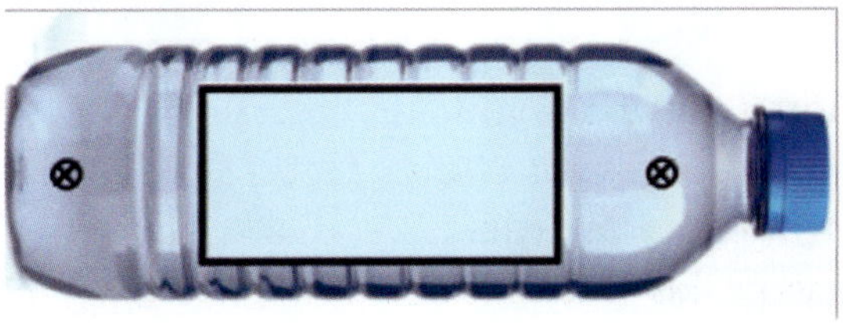

- Faire passer des cordes et faire un nœud pour bloquer les bouteilles.

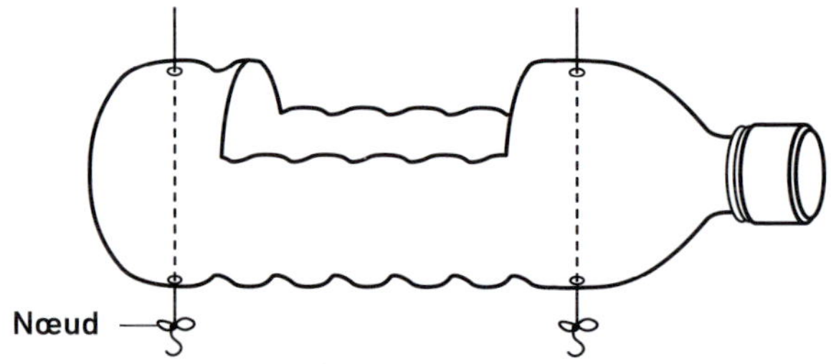

Exemple avec une palette

Avantage : rapide car la palette est déjà construite / est facilement retravaillable pour favoriser l'esthétique.

Inconvénient : durée de vie limitée à 2 ou 3 ans, sauf si le bois de palette est traité.

Extérieur / intérieur (dans ce cas prévoir un système de récupération pour arroser).

Exemple avec un sac en tissu ou en toile

Avantage : rapide et d'un cout très faible / on peut travailler sur l'idée d'accumulation.

Inconvénient : durabilité dans le temps limitée à 1 ou 2 années.

Extérieur (l'eau d'arrosage se diffuse à travers le sac).

5. Vers l'éducation au développement durable

Le projet de construction d'un mur végétal permet de développer une attitude citoyenne et respectueuse de l'environnement en montrant l'impact de certains comportements sur l'environnement.

Provenance des fruits et légumes que nous consommons ou des fleurs que nous achetons

Actions à entreprendre : Aller sur le marché ou au supermarché pour noter les fruits et légumes proposés. Noter les provenances. Comparer avec les fruits et légumes de saison. Se demander pourquoi on peut acheter des tomates toute l'année ? Retracer le parcours sur le globe ! Conclure sur l'importance de consommer local et en saison.

Gestion raisonnée de l'eau

Après avoir sélectionné les plantes, il va falloir réfléchir au meilleur système pour les arroser :
– Comment apporter les éléments minéraux, l'eau (sol, système d'arrosage) ?
– Il faudra arroser nos plantations : quand ? (matin, midi, soir), beaucoup ?
– Peut-on récupérer l'eau de pluie (gratuit) ?
– Peut-on éviter les pertes d'eau (paillage, cloches , poches…) ?

Protéger nos cultures

Pour éviter de tuer tous les êtres vivants, peut-on réfléchir à d'autres traitement que l'usage des insecticides ? Nous voulons récolter des fruits et des légumes, ou des herbes aromatiques mais nous ne sommes pas les seuls à les manger ! Les insectes, les oiseaux, les mulots se servent directement. Que peut-on faire ? Attirer les animaux qui mangent nos cultures par la plantation de fleurs qu'ils apprécient, la fabrication d'un hôtel à insectes, ou de nichoirs. Dans les fermes, certains utilisent des cris de rapaces qui font peur aux oiseaux qui viennent manger les fruits (pommes, poires…).

Utilisation d'engrais verts comme le compost pour enrichir le sol.

Actions à entreprendre : planter les fleurs odorantes qui repoussent les « nuisibles » (pour nous), réaliser un compost, fabriquer un hôtel à insectes pour enrichir la biodiversité de notre potager.

Reproduction d'une double page du manuel
Chercheurs en herbe CM

47 Un aspirateur est-il un robot ?

Je m'interroge

Enzo et Clara regardent une démonstration d'aspirateurs autonomes dans un magasin d'électroménager. De plus en plus d'objets fonctionnent comme les voitures autonomes.
Et toi, sais-tu comment un aspirateur autonome est piloté ?

Je cherche, je réalise

Le **programme** Scratch ci-contre permet de déplacer un aspirateur dans une pièce. Les instructions sont assemblées pour constituer un **algorithme**.

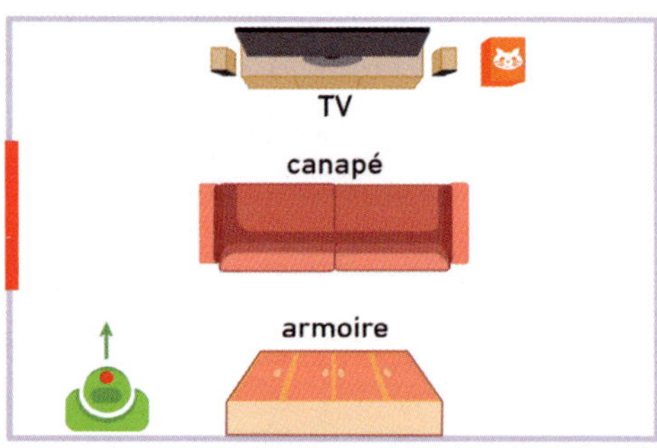

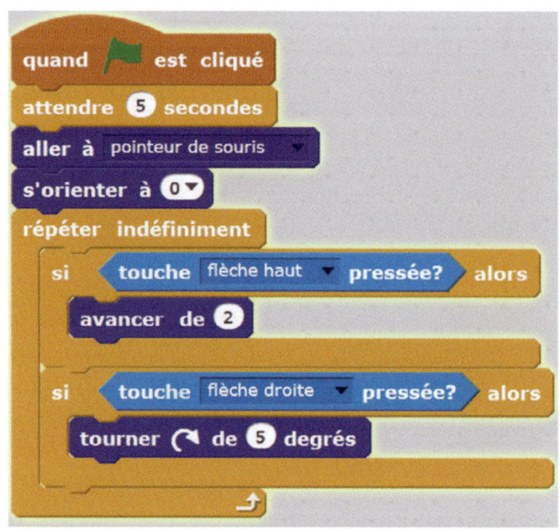

L'aspirateur et sa base sont représentés en vert. L'aspirateur doit éviter et contourner les meubles et les obstacles (pieds de meubles, panier du chat, radiateur). L'aspirateur doit revenir sur sa base pour se recharger électriquement.

DOC 1 Découvrir la programmation et piloter un aspirateur avec Scratch

Pour repérer et comprendre la communication et la gestion de l'information, je sais utiliser des logiciels de programmation.

DOC 2 Piloter un robot avec RobotProg

Le logiciel RobotProg permet de programmer un robot virtuel. Un premier programme (a) est réalisé sous la forme d'un **organigramme** contenant des instructions (cases) qui s'enchainent (traits fléchés). Grâce à la succession d'actions « Avancer », le robot avance de cinq cases et s'arrête sur la prise de courant située devant le mur (représenté par une barre blanche) à l'Arrêt 1 (b).

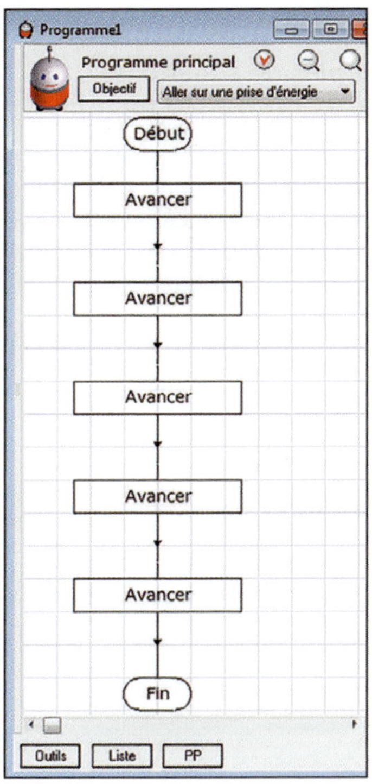

a

D'autres actions sont disponibles comme « Tourner à droite » ou « Tourner à gauche ».

Pratiquer des langages

À toi d'écrire un second programme afin que le robot atteigne la prise de courant située à l'Arrêt 2.

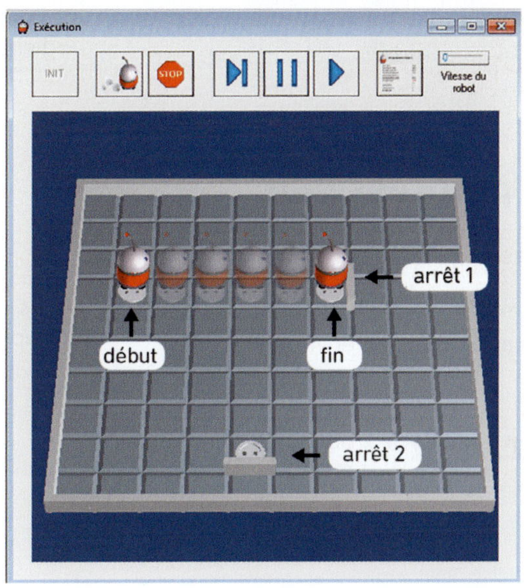

b

Activités

- Complète le programme décrit dans le **doc. 1** pour permettre à l'aspirateur d'évoluer dans la pièce ; ajoute les fonctions « reculer » et « tourner à gauche » en utilisant les deux autres touches « flèche » de ton clavier.
- En comparant les **doc. 1** et **2**, désigne quel programme permet vraiment à un objet technique de se déplacer sans aucune intervention humaine.

Je conclus

Explique comment un algorithme permet de piloter l'aspirateur.

VOCABULAIRE

- **un algorithme :** suite chronologique d'instructions (test et actions) qui, une fois exécutée, conduit à un résultat attendu.
- **un organigramme :** représentation graphique de la suite d'instructions d'un programme.
- **un programme :** réalisation d'un algorithme destiné à être exécuté par un ordinateur.

47 Un aspirateur est-il un robot ?

Les objectifs dans les programmes

Attendu de fin de cycle :
Repérer et comprendre la communication et la gestion de l'information

Connaissances et compétences associées	Exemples de situations, d'activités et de ressources pour l'élève
• Notions d'algorithmes, les objets programmables. • Usage de logiciels usuels.	Ils (les élèves) décrivent un système technique par ses composants et leurs relations. Les élèves découvrent l'algorithme en utilisant des logiciels d'applications visuelles et ludiques. Les élèves maitrisent le fonctionnement de logiciels usuels et s'approprient leur fonctionnement.

Repères de progressivité

Les acquis du cycle 2	Pour entrer en sixième
• Utiliser l'ordinateur. • Commencer à s'approprier un environnement numérique. **Les acquis des élèves du Cycle 2 pour aborder la situation de recherche : aucun acquis n'est nécessaire.**	• Les élèves ont découvert l'algorithme et s'approprient le fonctionnement de logiciels usuels.

Intentions pédagogiques de la situation de recherche

Je m'interroge

La situation présente le déplacement « potentiellement dangereux » d'un aspirateur autonome qui se dirige tout droit vers un mur au risque de le percuter. Les élèves sont entourés au quotidien d'objets automatisés dont le fonctionnement leur semble souvent anodin. Le robot aspirateur (produit vendu dans le commerce) est un objet autonome qui se déplace dans un espace comportant des obstacles dont la localisation peut varier. Les élèves qui ont déjà utilisé un ordinateur pour saisir des textes ou réaliser des présentations s'en serviront pour programmer et simuler le fonctionnement d'un objet technique évoluant dans un environnement virtuel. Ils comprendront ainsi que le déplacement d'un robot demeure contrôlé en permanence.

Compétence du socle travaillée

Pratiquer des démarches scientifiques et technologiques
- Formuler une question ou une problématique scientifique ou technologique simple
- Proposer une ou des hypothèses pour répondre à une question ou un problème

Je cherche, je réalise

DOC 1 Découvrir la programmation et piloter un aspirateur avec Scratch ➥ *p. 138*

Un document pour apprendre à piloter un objet.

Dans ce programme, l'aspirateur reste piloté par l'élève à l'aide des touches « flèche » du clavier de l'ordinateur. Ce mode de fonctionnement correspond à l'utilisation d'un objet technique à l'aide d'une télécommande (drone, voiture, bateau…). Le robot aspirateur ne reçoit aucune information qu'il pourrait traiter directement. C'est donc à l'utilisateur d'en commander les mouvements ; le but du programme est d'identifier les ordres transmis par l'utilisateur afin de piloter le robot (c'est-à-dire le « lutin » dans le contexte de Scratch) dans une scène qui représente une pièce. Dans le programme proposé ne sont traitées que les frappes sur la flèche « haut » et la flèche « droite ».

L'élève « utilisateur » effectue ensuite un parcours et ramène enfin l'aspirateur à son point de départ qui correspond dans la réalité à sa base de recharge électrique.

Compétences du socle travaillées

Concevoir, créer et réaliser

- Repérer et comprendre la communication et la gestion de l'information ; notions d'algorithme, les objets programmables.

Pratiquer des langages

- Exploiter un document constitué de divers supports.

DOC 2 Piloter un robot avec RobotProg ➥ *p. 139*

Un document pour débuter la programmation.

Dans le premier programme, le robot n'est plus piloté par l'utilisateur, mais avance de cinq cases puis s'arrête sur une prise de courant située devant un mur (Arrêt 1). Dans le second programme que doit concevoir l'élève, le robot doit s'arrêter sur une autre prise également devant un mur (Arrêt 2). L'élève va utiliser l'instruction « Tourner à droite » (TD). D'où le programme :

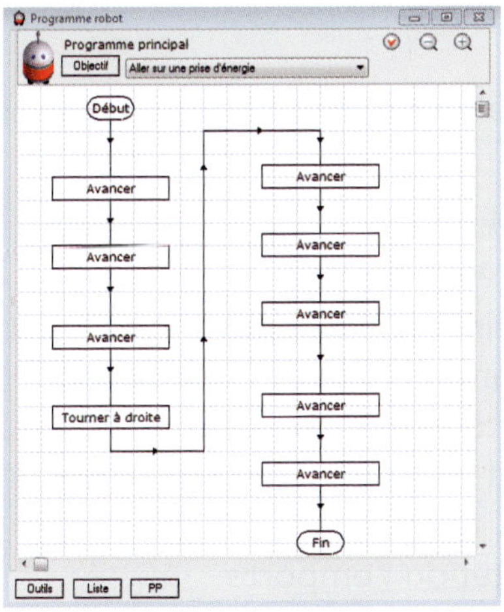

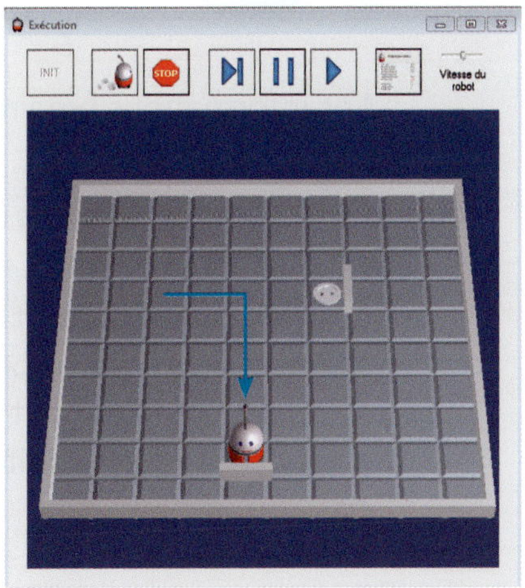

Il faut choisir « Niveau 4 » pour fixer comme objectif « Aller sur une prise d'énergie » (prise de courant), ce qui incite les élèves à considérer qu'un robot réel a besoin d'énergie pour fonctionner. Lorsque le robot s'arrête sur la prise de courant (objectif atteint), il exécute un bond « joyeux » au-dessus de celle-ci en signe de succès. Ce mode de fonctionnement correspond à la mise en mouvement d'un objet technique selon un parcours déterminé à l'avance ; là encore, le robot ne reçoit aucune information qu'il pourrait traiter directement et évolue « en aveugle ».

Compétences du socle travaillées

Concevoir, créer et réaliser

- Repérer et comprendre la communication et la gestion de l'information ; notions d'algorithme, les objets programmables.

Pratiquer des langages

- Exploiter un document constitué de divers supports (algorithme, ...).

Outils numériques

Les deux logiciels libres et gratuits choisis sont :

Scratch : les programmes se présentent sous la forme d'ensembles de blocs juxtaposés et/ou imbriqués à l'aide d'un éditeur graphique.
https://scratch.mit.edu/download

RobotProg : les programmes se présentent sous la forme d'organigrammes également construits à l'aide d'un éditeur graphique.
http://www.physicsbox.com/indexrobotprogfr.html

Activités

L'activité 1 permet d'apprendre à effectuer une modification dans un programme réalisé avec Scratch. L'élève ajoute et teste les blocs « Reculer » (flèche « bas ») et « Tourner à gauche » (flèche « haut »). Le déplacement de l'aspirateur devient plus simple. Ci-dessous, le programme complet avec les deux blocs initialement manquants.

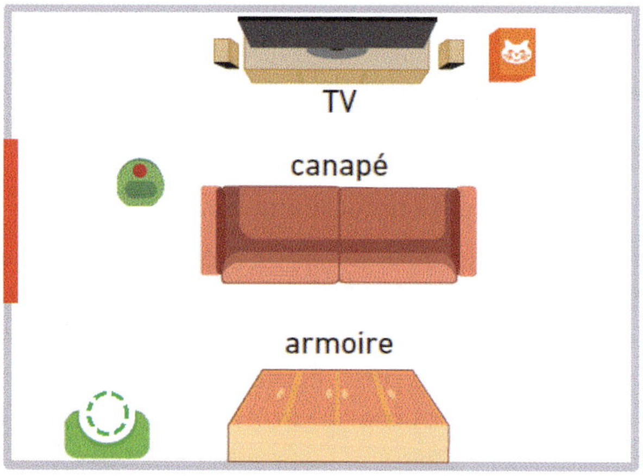

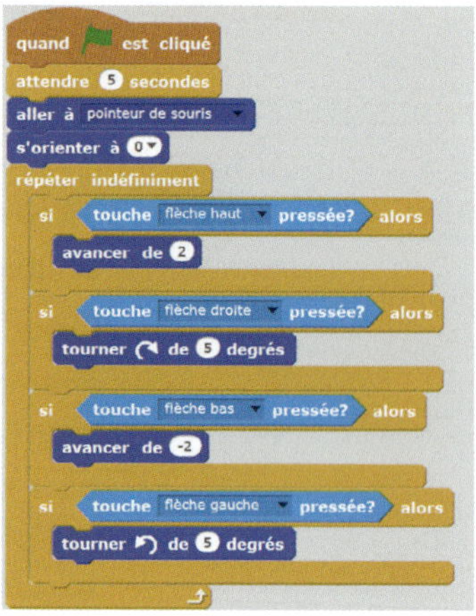

Les informations binaires traitées dans ce programme sont les quatre touches « flèche ... ».

Pour chacune d'elles, l'état sera « Vrai » si l'utilisateur appuie sur la touche respective et « Faux » s'il n'appuie pas.

Les élèves chercheront certainement à appuyer sur plusieurs touches à la fois et s'apercevront que le programme traite les frappes doubles simultanées ainsi :
– touche « flèche haut » et touche « flèche bas » ; l'aspirateur ne bouge pas.
– touche « flèche droite » et touche « flèche gauche » ; l'aspirateur ne bouge pas.
– Dans les autres cas, la rotation l'emporte.

Il n'est donc pas possible, par exemple, d'effectuer un vrai déplacement en diagonale ; cependant, l'aspirateur peut d'abord avancer puis tourner (ou l'inverse) et le résultat sera le même.

Remarques :
– « attendre 5 secondes » laisse le temps à l'élève de positionner le robot où il le souhaite dans la scène ;
– « aller à pointeur de souris » place le robot (lutin) à l'endroit précis où la souris est positionnée ; cette instruction permet de ne pas recourir d'emblée et

explicitement aux coordonnées (x ; y) utilisées par Scratch, qui peuvent être négatives ;
– « s'orienter à 0 » positionne le robot tache rouge vers le haut ;
– on constate que l'instruction « reculer » n'existant pas, il est nécessaire d'utiliser une instruction « avancer » avec une valeur négative (– 2). Cet usage est imposé par le logiciel Scratch.

L'activité 2 a pour but d'amener les élèves à différencier deux situations parmi les plus fréquemment rencontrées en matière de programmation :
– **le pilotage direct d'un objet par l'utilisateur** à l'aide du clavier, de la souris ou d'une interface quelconque (écran tactile, ...). C'est le programme écrit dans le **doc 1** qui nécessite une intervention humaine sur les touches « flèche » pour déplacer l'objet virtuel ;
– **la répétition à l'identique d'une suite d'actions.** Le premier programme écrit dans le **doc 2** et le second que doit réaliser l'élève permettent au robot d'accomplir un parcours déterminé qui le conduit à chaque fois sur la case « prise de courant » située devant un mur ; si la position des cases « prise de courant » est modifiée, alors les programmes doivent l'être aussi.

Le premier programme réalisé avec RobotProg dans le **doc 2** permet de piloter un objet technique sans intervention humaine ; le second programme réalisé par l'élève le permet aussi.

Je conclus !

Dans la double page 47, deux façons de piloter l'aspirateur autonome sont présentées.
– L'algorithme (avec Scratch) traite une information binaire provenant du clavier, donc de l'utilisateur, à la façon d'un objet télécommandé qui reste directement dépendant des ordres de l'utilisateur ; il n'est donc pas vraiment autonome.
– L'algorithme (avec RobotProg) fait exécuter un parcours déterminé à l'avance qui se répète toujours à l'identique. En cas de changement d'environnement, il faut modifier le programme du parcours afin que le robot ne percute pas un meuble ou un mur.

Des pistes d'interdisciplinarité

Français :
Utiliser le mode infinitif pour traduire chaque ordre transmis à un objet programmable.

Mathématiques :
– (Se) repérer et (se) déplacer dans l'espace en utilisant ou en élaborant des représentations (exemple : carte).

Les notions essentielles pour l'enseignant

Idées essentielles

- Les logiciels de programmation incluent deux modes de fonctionnement :
– un premier mode qui permet de construire le programme, c'est-à-dire d'agencer et de paramétrer les blocs (par exemple avec Scratch), ou de dessiner et compléter un organigramme (par exemple avec RobotProg). Les deux représentations permettent de réaliser pratiquement les mêmes algorithmes ;
– un second mode qui permet d'exécuter le programme et d'en vérifier la conformité du fonctionnement.

Ce n'est jamais l'algorithme saisi par l'élève (par organigramme ou par blocs) qui est exécuté par le processeur de l'ordinateur ; le processeur n'est capable d'exécuter que du code binaire (succession de 0 et de 1 ou code « machine »). Sans une formation aboutie en informatique, il est impossible de maitriser les différents langages de codage ; de sorte qu'autrefois, un « algorithmicien » non informaticien ne programmait pas.

La technique de représentation d'un algorithme sous la forme d'un organigramme est d'abord un outil d'analyse et de conception sur papier avant une éventuelle phase de codage. Depuis la réforme des programmes de Technologie au Collège de 1995, les éditeurs de logiciels mettent à disposition des applications générant le code binaire directement à partir de la saisie (à la souris et au clavier) de l'organigramme conçu par l'élève. Robotprog est un logiciel libre et gratuit de ce type.

En 2007, le *Massachussetts Institute of Technology* propose l'application Scratch permettant de saisir (toujours à la souris et au clavier) un algorithme sous la forme de blocs d'instructions. Dans les deux cas, aucune connaissance des langages de codage n'est nécessaire à l'élève pour programmer. Même si la programmation par blocs est davantage illustrée dans les ressources ministérielles et académiques, le manuel n'en privilégie aucune :
– celle par organigramme est plus visuelle mais les symboles graphiques occupent rapidement une place importante à l'écran ;
– celle par blocs nécessite moins d'espace à l'écran car elle est davantage textuelle.

Pour aller plus loin

- Selon les moyens mobilisables, la programmation d'un objet réel et non simplement virtuel permettra d'illustrer davantage le lien avec le Thème 1 : Identifier un signal et une information ; Introduire de façon simple la notion de signal et d'information en utilisant des situations de la vie courante : alarme sonore … ; Élément minimum d'information (oui/non) et représentation par 0,1.

- Dans le cas d'un robot réel (davantage utilisé en 6e puis, par la suite, au cycle 4), les élèves comprendront que deux ordinateurs sont nécessaires ; le premier sur lequel est réalisé le programme puis le second qui le reçoit et l'exécute et qui est embarqué sur le robot lui-même. Dans le cas d'une application virtuelle, les deux ordinateurs n'e font qu'un.

- Enfin, les déplacements programmés à l'aide d'une action comme « Avancer » sont d'une mesure prédéterminée ; avec RobotProg, le robot avance d'une seule case à la fois et avec Scratch, la distance de déplacement est paramétrée, par exemple « Avancer de 10 ». En 6e puis au cycle 4, l'élève comprendra que cette action se poursuit jusqu'à ce qu'une autre action comme « Arrêter », « Reculer » ou encore « Tourner » soit exécutée. Chaque modification de mouvement est précédée ou suivie d'un test de la valeur d'une information binaire.

Nom : .... Classe : .... Date : ....

47 ÉVALUATION
Un aspirateur est-il un robot ?

1 La voiture va-t-elle heurter le panneau ?

Une voiture sans chauffeur doit être programmée pour respecter les équipements routiers.

À l'aide de l'algorithme, trace le parcours de la voiture.

Compléter le parcours de la voiture (lutin) dans la grille ci-dessous.

Connaissances : notions d'algorithmes, les objets programmables.

Compétences : (Se) repérer et (se) déplacer dans l'espace en utilisant des représentations. Programmer les déplacements d'un robot ou ceux d'un personnage sur un écran ; Initiation à la programmation.

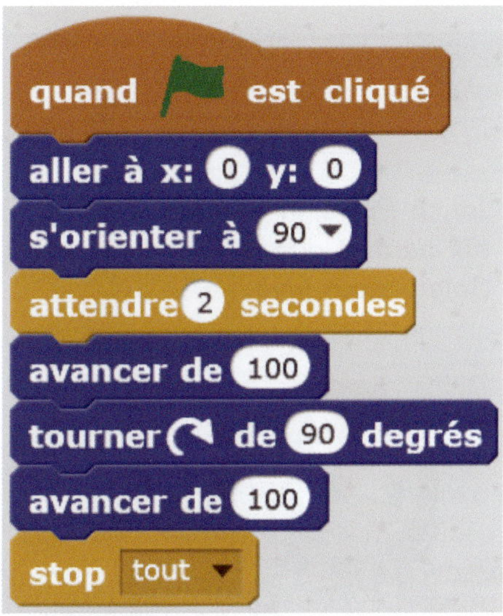

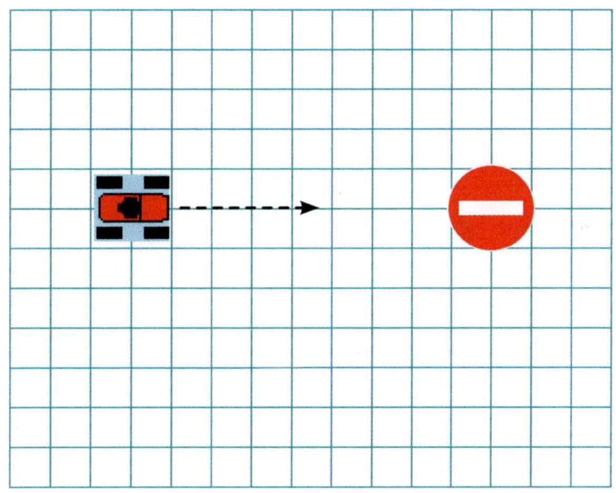

Remarques :
– 1 carreau représente 20 unités de déplacement dans l'algorithme.
– La figure de droite illustre la position de la voiture après l'attente de 2 secondes.

2 Vrai ou faux ?

Coche les propositions vraies.

	V	F
1. La voiture évite le panneau par la droite.	☐	☐
2. Une information binaire est testée dans ce programme.	☐	☐
3. La même action est utilisée 2 fois dans cet algorithme.	☐	☐

Connaissances : notions d'algorithmes, les objets programmables.

Compétences : Pratiquer des langages ; exploiter un document constitué de divers supports (algorithmes).

Critères de réussite

1 J'ai réussi si :
- ☐ J'ai tracé le parcours qui permet d'éviter le panneau car j'ai compris la signification des instructions de l'algorithme ; en particulier « Avancer de 100 ».

2 J'ai réussi si :
- ☐ Je sais interpréter un sens de rotation dans une action.
- ☐ Je sais ce qu'est un test.
- ☐ Je sais que les actions sont exprimées à l'aide de verbes à l'infinitif.

Reproduction d'une double page du manuel
Chercheurs en herbe CM

50 Le jour se lève 24 heures sur 24 !

Je m'interroge

Clara, qui vit à Paris, et Enzo, en voyage à New York, ne voient pas le jour se lever au même moment. **Comment expliques-tu le décalage entre ces deux levers de Soleil ?**

Je cherche, je réalise

J'utilise différents modes de représentation

À l'aide de la lampe, éclaire la sphère. Fais tourner la sphère et observe comment les deux punaises sont éclairées et observe l'ombre.

Matériel
- une sphère en polystyrène traversée par un pic
- une lampe torche
- deux punaises de couleur

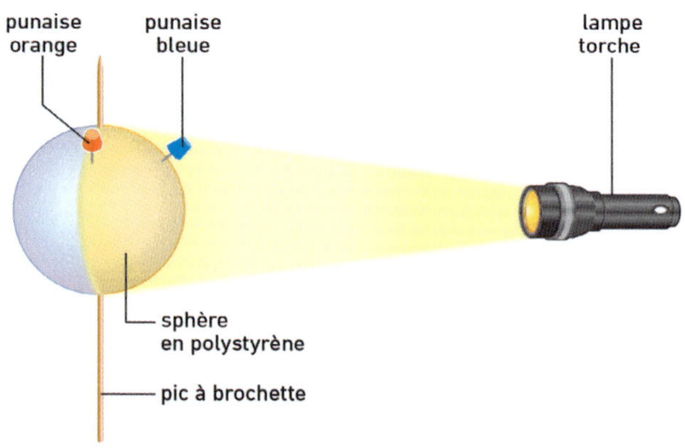

DOC 1 Modéliser l'alternance jour/nuit

Pour comprendre les conditions de la vie terrestre, je comprends l'alternance du jour et de la nuit.

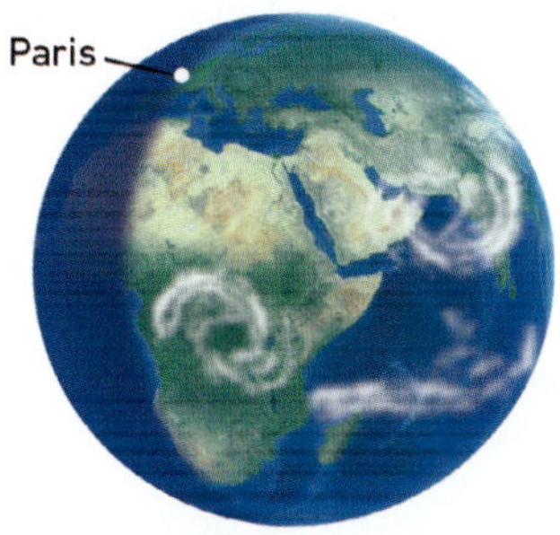

À 8 h 00 (heure de Paris), le jour se lève à Paris.

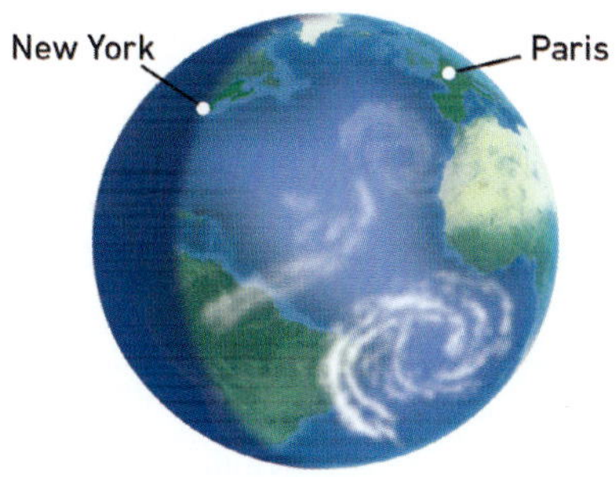

À 13 h 00 (heure de Paris), le Soleil se lève à New York.

DOC 2 Un lever de Soleil à Paris et à New York vu du ciel

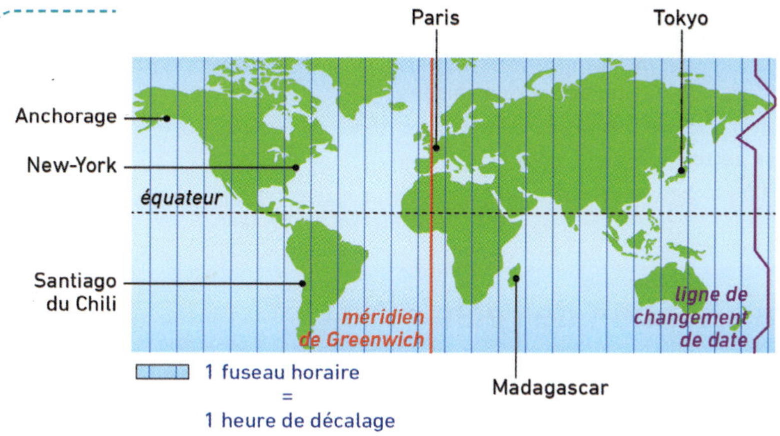

La Terre fait un tour sur elle-même en 24 heures.

La surface terrestre est divisée en 24 **fuseaux horaires** correspondant chacun à une heure de rotation du globe.

DOC 3 Les 24 fuseaux horaires

Activités

- Dans la modélisation, repère ce que représentent la sphère, le pic à brochette, les punaises et la lampe (**doc. 1**).
- Trouve et indique par une flèche le sens de rotation de la Terre (**doc. 1** et **2**). Justifie ta réponse.
- Lorsqu'il est 10 heures à Paris, calcule quelle heure (heure de Paris) il est dans les différents endroits indiqués sur la carte (**doc. 3**).

Je conclus

En une phrase, explique pourquoi il ne fait pas jour au même moment partout sur la Terre.

VOCABULAIRE

- **un fuseau horaire :** zone de la surface terrestre où l'heure est la même.

50 Le jour se lève 24 heures sur 24 !

Les objectifs dans les programmes

Attendu de fin de cycle :
Situer la Terre dans le système solaire et caractériser les conditions de la vie terrestre

Connaissances et compétences associées	Exemples de situations, d'activités et de ressources pour l'élève
• Décrire les mouvements de la Terre (rotation sur elle-même et alternance jour-nuit, autour du Soleil et cycle des saisons).	Travailler à partir de l'observation et de démarches scientifiques variées (modélisation, expérimentation...).

Repères de progressivité

Les acquis du cycle 2	Pour entrer en sixième
• Questionner le monde : Identifier les rythmes cycliques du temps : le jour, l'année. **Les acquis des élèves du cycle 2 pour aborder cette situation de recherche :** *la formation d'une ombre.*	• Comprendre les variations de la durée du jour au cours des saisons.

Intentions pédagogiques de la situation de recherche

Je m'interroge

Le constat d'un décalage entre les heures de lever de soleil à Paris et à New York peut servir à un questionnement signifiant et productif de la part des élèves : À quoi correspond le « lever du soleil » ? Quelle est l'origine de la nuit et du jour ? Pourquoi le lever du Soleil ne se produit pas à la même heure dans les deux villes ?

Plusieurs hypothèses peuvent être formulées pour répondre à cette dernière question. On pourra les regrouper en deux grandes catégories : les représentations géocentriques expliquant le lever de Soleil par un mouvement du Soleil autour de la Terre et les représentations héliocentriques expliquant le lever de Soleil par un mouvement de la Terre par rapport à un Soleil fixe (certains proposant la révolution de la Terre autour du soleil comme origine de l'alternance jour/nuit, d'autres la rotation de la Terre sur elle-même).

Après confrontation, les représentations géocentriques peuvent être éliminées car non conformes à ce que l'on sait du système solaire (voir la situation de recherche 49 : J'habite dans le système solaire).

Compétence du socle travaillée

Pratiquer des démarches scientifiques et technologiques
- Formuler une question ou une problématique scientifique ou technologique simple.
- Proposer une ou des hypothèses pour répondre à une question ou un problème.

Je cherche, je réalise

DOC 1 Modéliser l'alternance jour/nuit ➥ p. 152

Un document pour apprendre à modéliser un phénomène, ici l'alternance jour/nuit.

Le doc 1 est l'occasion de mettre à l'épreuve les hypothèses conservées par la réalisation d'un modèle simple. Une boule de polystyrène transpercée par un pic de brochette représente le globe terrestre sur lequel on a pris soin de placer deux punaises correspondant aux emplacements de Paris et New York. La lampe électrique représente le Soleil, l'étoile, source de lumière de notre système solaire.

Afin de bien différencier sur la sphère la zone éclairée de celle qui est obscure, il faudra prendre soin de placer la classe dans une demi-obscurité et de tenir la lampe à une distance correcte (environ 20 à 30 cm).

La **modélisation** permet d'infirmer l'hypothèse d'un lien entre la révolution de la Terre autour du soleil et l'alternance jour/nuit. En effet, les élèves constatent que dans ce modèle, c'est toujours la même face de la Terre qui est éclairée (on pourra également leur rappeler que cette révolution dure 365 jours !).

La modélisation de la rotation de la Terre permet de comprendre l'alternance jour/nuit. Il reste aux élèves à déterminer le sens de rotation de la Terre pour que le Soleil se « lève » d'abord à Paris puis à New York. Certains élèves feront tourner la boule autour d'un axe placé verticalement et non légèrement incliné comme sur le schéma. Cela n'a guère d'importance pour l'objectif visé (l'inclinaison de l'axe a surtout un rôle dans l'alternance des saisons qui sera abordée en classe de sixième).

Compétence du socle travaillée

S'approprier des outils et des méthodes
- Choisir ou utiliser le matériel adapté pour mener une observation, effectuer une mesure, réaliser une expérience ou une production.

Point didactique

- La modélisation est une des stratégies d'investigation scientifique. Son objectif est de proposer un montage représentant la réalité de manière volontairement simplifiée afin de tester une hypothèse. Le modèle est donc un lien entre les faits (registre empirique) et leur interprétation (registre théorique).
- Il est important de laisser les élèves s'approprier le modèle, en leur demandant d'identifier la correspondance entre le montage et la réalité et en discutant des limites du modèle (ici les distances, la vitesse de rotation de la Terre...).

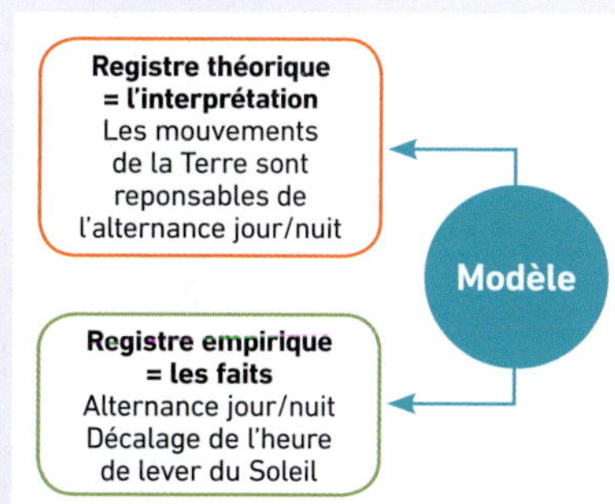

DOC 2 Un lever de Soleil à Paris et à New York vu du ciel ➥ p. 153

Un document pour comprendre les relations Terre/Soleil dans l'alternance jour/nuit.

Le doc 2 permet de visualiser la position de la Terre au moment des levers de Soleil sur Paris et New York. Les élèves doivent dans un premier temps découvrir la position du Soleil (du coté éclairé de la Terre donc sur la droite, ici un peu décalée pour voir à la fois les villes de New York et Paris éclairées) puis pourront faire un schéma des deux situations en indiquant la zone où il fait nuit et celle où il fait jour.

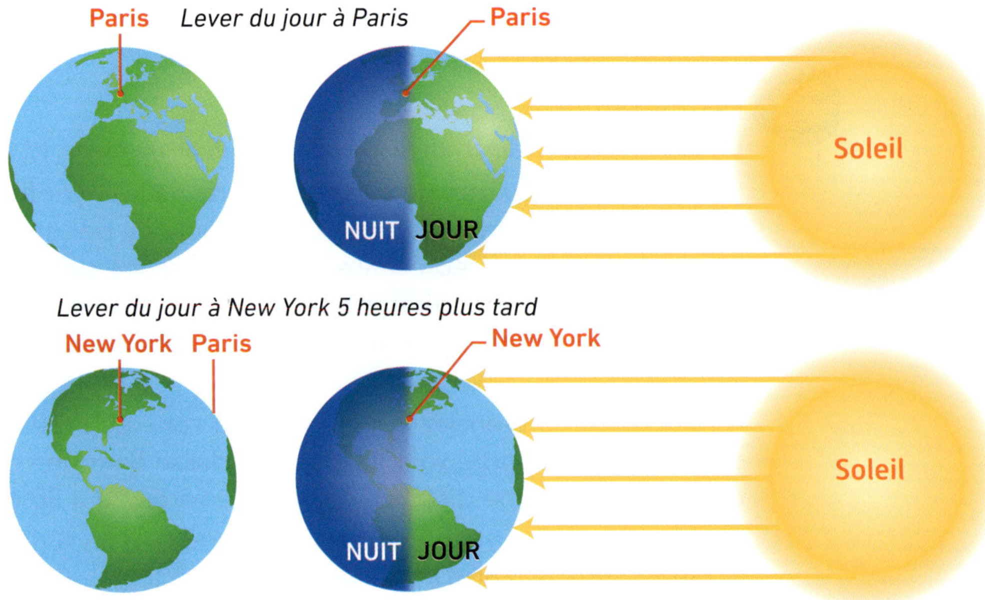

Compétence du socle travaillée

Pratiquer des langages
- Exploiter un document constitué de différents supports.
- Utiliser différents modes de représentations formalisés.

DOC 3 Les 24 fuseaux horaires ➡ *p. 153*

Un document pour expliquer la notion de décalage horaire.

Le troisième document est l'occasion de remobiliser la connaissance construite sur les conséquences de la rotation de la Terre dans un contexte pratique plus large : comprendre le décalage horaire entre différentes villes en utilisant les fuseaux horaires.

L'analyse du document permet de mettre en évidence les 24 fuseaux horaires correspondant chacun à la distance parcourue en une heure pour la rotation de la Terre.

Ville	Nombre de fuseau / Paris	Heure à Paris
Paris		10 h
New York	+ 5 h	15 h
Santiago du Chili	+ 5 h	15 h
Anchorage	+ 10 h	20 h
Madagascar	– 3 h	7 h
Tokyo	– 9 h	1 h

Afin de répondre à la question d'activité 3, les élèves doivent compter le nombre de fuseaux entre Paris et les différentes villes et les ajouter à 10 h pour les villes situées à l'Ouest ou les soustraire pour les villes situées à l'Est.

Afin de faciliter l'exploitation du **doc 3**, on pourra préparer une boule de polystyrène sur laquelle on aura pris soin de tracer les limites des fuseaux horaires et de placer des punaises aux emplacements des différentes villes. Ce petit modèle permettra de fournir un « coup de pouce » précieux aux élèves ayant des difficultés à manipuler la carte en deux dimensions des fuseaux.

Compétence du socle travaillée

Pratiquer des langages
- Exploiter un document constitué de différents supports.

Outils numériques

https://www.reseau-canope.fr/lesfondamentaux/discipline/sciences/le-ciel-et-la-terre/la-rotation-de-la-terre-et-lalternance-jour-et-nuit/le-sens-de-rotation-de-la-terre.html

https://cache.media.eduscol.education.fr/file/Planete_Terre_/55/9/RA16_C3_SCTE_4_sequence_mvt_terre_V2_618559.pdf

Activités

- **L'activité 1** a pour but de bien faire identifier la correspondance entre les éléments du montage et la réalité.

Réponse attendue :

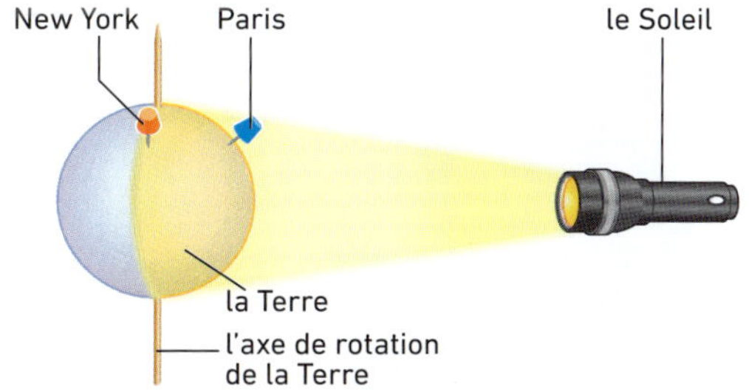

- **L'activité 2** a pour but de faciliter la structuration des connaissances en passant par la réalisation d'un schéma d'interprétation.

Réponse attendue :

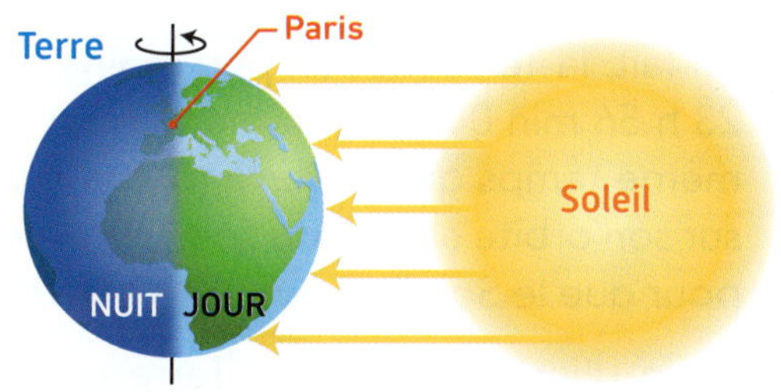

- **L'activité 3** permet l'utilisation de la carte des fuseaux horaires afin de généraliser la notion de décalage entre les heures de lever du Soleil en différents points du globe tout en tenant compte du sens de rotation de la Terre (décalage positif à l'Ouest, négatif à l'Est).

Réponse attendue :

Si il est 10 h 00 à Paris alors il est : 7 h à Madagascar – 1 h à Tokyo – 15 h à New York – 20 h à Anchorage – 15 h à Santiago du Chili

Je conclus !

À partir des informations et des interprétations d'expériences, les élèves doivent pouvoir proposer ces différentes formulations :

– La Terre est éclairée par le Soleil seulement d'un côté. Sur le côté éclairé, il fait jour. Sur le côté non éclairé, il fait nuit.
– Comme la Terre tourne, ce n'est pas toujours le même côté qui est éclairé.
– Les limites entre le côté éclairé et le côté non éclairé correspondent au « lever » et au « coucher » du Soleil.
– Comme la Terre tourne, le lever du Soleil se déplace à la surface de la Terre. C'est pour cela qu'il n'a pas lieu en même temps à Paris ou à New York.
– La durée du jour est due au temps de rotation de la Terre.

Des pistes d'interdisciplinarité

Mathématiques : Calculer la durée écoulée entre deux instants donnés.

Les notions essentielles pour l'enseignant

Idées essentielles

- L'alternance jour/nuit à la surface du globe est due à la **rotation de la Terre** sur elle-même. Lors de cette rotation, il fait jour sur la partie éclairée par le Soleil et nuit sur la partie cachée des rayons solaires. Le « lever du Soleil » correspond au moment où un point du globe arrive dans la zone éclairée par le Soleil. Ce moment est différent suivant l'emplacement du point. Il y a donc un décalage entre les heures de lever de Soleil à la surface du globe. Étant donné le sens de rotation de la Terre sur son axe, d'Ouest en Est, le Soleil nous apparait toujours à l'Est.

Pour aller plus loin

- En fait, la Terre met un peu moins de 24 h pour faire un tour sur elle-même : 23 h 56 min 04 s exactement, c'est la durée du jour sidéral. Mais, comme en même temps que la Terre tourne sur elle même, elle se déplace légèrement sur son orbite autour du soleil, la durée d'un jour solaire, c'est-à-dire, le temps pour que le Soleil revienne au zénith d'un même point du globe, est de 24 h.
- L'axe d'inclinaison de la Terre a pour effet de modifier l'angle des rayons solaires arrivant à sa surface dans les différentes régions, modifiant ainsi la durée relative du jour et de la nuit suivant les saisons.

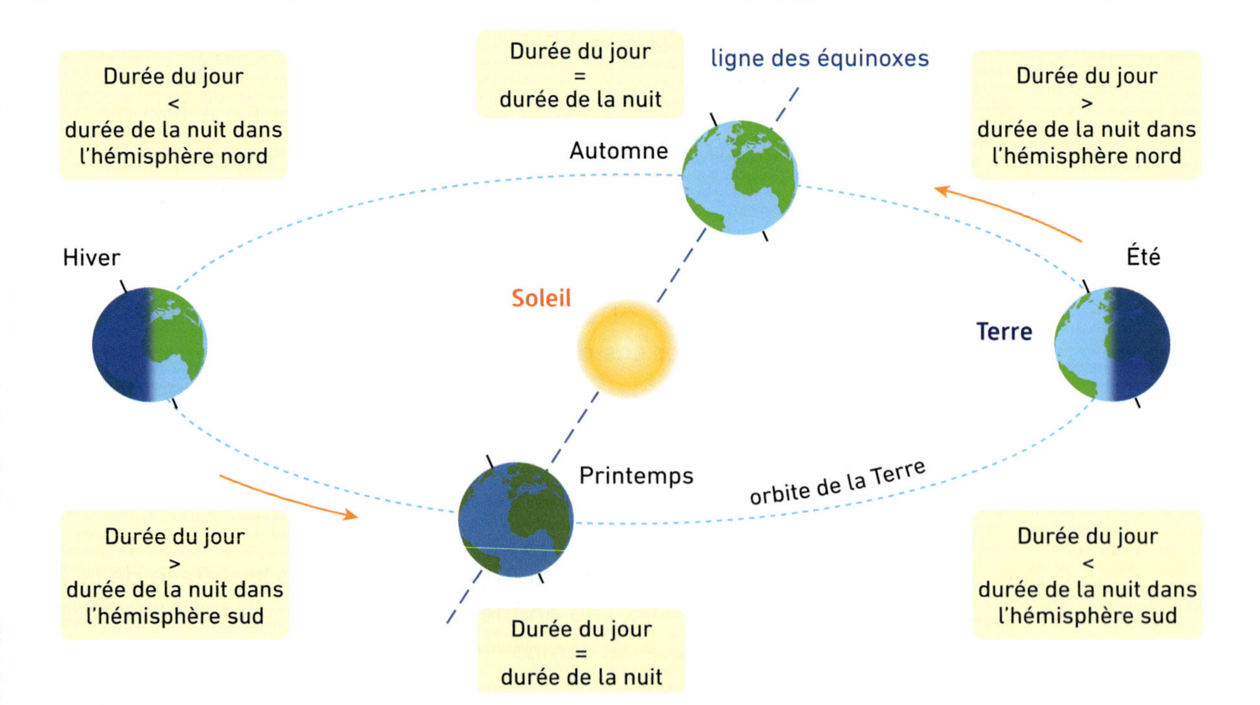

Nom : .... **Classe :** .... **Date :** ....

50 ÉVALUATION
Le jour se lève 24 heures sur 24 !

Si des spationautes pouvaient atterrir sur Vénus, ils seraient étonnés de voir le Soleil se lever à l'Ouest et non à l'Est comme sur Terre.

1 Choisir une hypothèse

Parmi ces 3 explications, choisis celle qui explique l'observation ci-dessus, en justifiant ta réponse.

1. Vénus tourne autour du Soleil en sens inverse par rapport à la Terre.
2. Le Soleil tourne autour de Vénus dans le sens inverse des aiguilles d'une montre
3. Vénus tourne sur elle-même dans le sens contraire de la rotation de la Terre sur elle-même.

Connaissances : expliquer l'origine de l'alternance jour/nuit.

2 Schéma à compléter

Complète le schéma ci-dessous en représentant le Soleil et ses rayons, du bon côté de Vénus. Puis indique le sens de rotation de Vénus autour de son axe.

Connaissances : expliquer l'origine de l'alternance jour/nuit.

Compétences : pratiquer des langages : compléter un schéma en utilisant des représentations adaptées.

Vénus

Critères de réussite

1 J'ai réussi si :

- ☐ J'ai compris que l'alternance jour-nuit est due à la rotation de la planète sur elle-même.

2 J'ai réussi si :

- ☐ J'ai représenté le Soleil du bon côté de Vénus.
- ☐ J'ai représenté les rayons solaires correctement.
- ☐ J'ai bien représenté le sens de rotation de Vénus.

N° d'editeur : 10243614 - Dépôt légal : Février 2018
Imprimé en France par Loire Offset Titoulet
2017122877